Bram Stoker

Dracula

Traduit de l'anglais par Lucienne Molitor

Abrégé par Boris Moissard

date (indice temps et lieu

passage important

indice vampirisme

personnages.

M = mystère
V = vampire

Classiques abrégés
l'école des loisirs
11, rue de Sèvres, Paris 6e

Loi n° 49.956 du 16 juillet 1949 sur les publications
destinées à la jeunesse : mars 2005
Dépôt légal : novembre 2013
Imprimé en France par CPI Firmin Didot
à Mesnil-sur-l'Estrée (120489)
ISBN 978-2-211-07438-4

I

Journal de Jonathan Harker (sténographié)

Bistritz, 3 mai – Quitté Munich à huit heures du soir, le 1er mai ; arrivé à Vienne, de bonne heure, le lendemain matin. À en juger d'après ce que j'en ai pu apercevoir du wagon, Budapest est une très belle ville. J'eus l'impression très nette de quitter l'Occident pour entrer dans le monde oriental.

Ayant quitté Budapest, nous arrivâmes le soir à Klausenburgh. Je m'y arrêtai pour passer la nuit à l'Hôtel Royal. À Londres, quelques moments de loisir m'avaient permis d'aller au British Museum et, à la bibliothèque, j'avais consulté des cartes de géographie et des livres traitant de la Transylvanie. Mais aucun livre, aucune carte ne put me renseigner sur l'endroit exact où se trouvait le château du comte Dracula. Mes recherches m'apprirent toutefois que Bistritz, où, me disait le comte Dracula, je devrais prendre la diligence, était une vieille petite ville, très connue. Je noterai ici mes principales impressions ; cela me rafraîchira la mémoire quand je parlerai de mes voyages à Mina.

Je dormis mal ; non que mon lit ne fût pas confortable, mais je fis toutes sortes de rêves étranges. Un chien ne cessa, durant toute la nuit, de hurler sous ma fenêtre. Je déjeunai en hâte, car le train partait quelques minutes avant huit heures. Nous roulâmes toute la journée à travers un fort beau pays.

Il faisait déjà nuit lorsque nous arrivâmes à Bistritz. Le comte Dracula m'avait indiqué l'hôtel de la Couronne d'or. De toute évidence, on m'attendait: lorsque j'arrivai devant la porte, je me trouvai en face d'une femme d'un certain âge, au visage plaisant, habillée comme les paysannes de l'endroit. Elle s'inclina et me demanda aussitôt:

– Vous êtes le monsieur anglais?

– Oui, répondis-je; Jonathan Harker.

Elle sourit et dit quelque chose à un homme qui l'avait suivie. Il disparut, mais revint aussitôt et me tendit une lettre. Voici ce que je lus:

«*Mon ami,*

«*Soyez le bienvenu dans les Carpates. Je vous attends avec impatience. Dormez bien cette nuit. La diligence part pour la Bukovine demain après-midi à trois heures; votre place est retenue. Ma voiture vous attendra au col de Borgo pour vous amener jusqu'ici. J'espère que depuis Londres votre voyage s'est bien passé et que vous vous féliciterez de votre séjour dans mon beau pays.*

«*Très amicalement,*

«*Dracula.*»

4 mai – Le propriétaire de l'hôtel avait, lui aussi, reçu une lettre du comte, lui demandant de me réserver la meilleure place de la diligence; mais, lorsque je voulus lui poser certaines questions, il se montra réticent. Au moment où j'allais partir, la patronne monta à ma chambre et me demanda sur un ton affolé:

– Oh ! Mon jeune monsieur, devez-vous vraiment y aller ?

Elle était à ce point bouleversée qu'elle avait de la peine à retrouver le peu d'allemand qu'elle savait et le mêlait à des mots qui m'étaient totalement étrangers. Quand je lui répondis que j'avais à traiter une affaire importante, elle me demanda encore :

– Savez-vous quel jour nous sommes ? C'est la veille de la Saint-Georges. Ignorez-vous que cette nuit, aux douze coups de minuit, tous les maléfices régneront en maîtres sur la terre ?

Elle s'agenouilla et me supplia d'attendre un jour ou deux. J'essayai de la relever et lui dis sur un ton fort grave que je la remerciais, mais que je devais absolument partir. Elle se releva, s'essuya les yeux, puis, prenant le crucifix suspendu à son cou, elle me passa le chapelet autour du cou en me disant simplement : « Pour l'amour de votre mère », puis elle sortit de la chambre.

5 mai. Au château – Lorsque je montai dans la diligence, les gens qui, devant l'hôtel, s'étaient rassemblés de plus en plus nombreux firent tous ensemble le signe de la croix, puis dirigèrent vers moi l'index et le majeur. Non sans quelque difficulté, je parvins à me faire expliquer par un de mes compagnons de voyage ce que ces gestes signifiaient : ils voulaient me défendre contre le mauvais œil.

La beauté du paysage me fit bientôt oublier mes

angoisses. Devant nous s'étendaient des bois et des forêts avec, çà et là, des collines escarpées au sommet desquelles apparaissaient un bouquet d'arbres ou quelque ferme dont le pignon blanc surplombait la route. Au-delà de ces collines s'élevaient d'autres forêts et les grands pics des Carpates. Le soleil, derrière nous, descendait de plus en plus sur l'horizon, et les ombres du soir, peu à peu, nous entourèrent.

La nuit s'annonçait froide, et l'obscurité semblait plonger dans une brume épaisse chênes, hêtres et sapins tandis que, dans la vallée au-dessous de nous qui maintenant montions vers le col de Borgo, les sapins noirs se détachaient sur un fond de neige récemment tombée. Les collines étaient parfois si escarpées que, malgré la hâte qui animait notre conducteur, les chevaux étaient obligés de ralentir le pas.

Il se mit à faire claquer son fouet sans pitié sur le dos des chevaux, et à l'aide de cris et d'appels les encouragea à monter la côte plus rapidement. Tour à tour, mes compagnons de voyage me firent des présents : gousse d'ail, rose sauvage séchée... et je vis parfaitement qu'il n'était pas question de les refuser ; certes, ces cadeaux étaient tous plus bizarres les uns que les autres, mais ils me les offrirent avec une simplicité vraiment touchante, en répétant ces gestes mystérieux qu'avaient faits les gens rassemblés devant l'hôtel de Bistritz : le signe de la croix et les deux doigts tendus pour me protéger contre le mauvais œil.

Enfin, nous parvînmes sur le versant est du col. Des

nuages noirs s'amoncelaient; le temps était lourd, comme si un orage allait éclater. Pour moi, je cherchais des yeux la voiture qui devait me conduire chez le comte. Je m'attendais d'un moment à l'autre à apercevoir ses lumières; mais la nuit demeurait d'un noir d'encre. Le conducteur consulta sa montre et dit aux autres voyageurs quelques mots qu'il me fut impossible de saisir, mais j'en devinai la signification: « Une heure de retard... » Puis, se tournant vers moi, il me dit dans un allemand encore plus mauvais que le mien:

– Aucune voiture en vue; c'est que l'on n'attend pas monsieur.

Tandis qu'il parlait, les chevaux se mirent à hennir et à ruer, et l'homme les maîtrisa à grand-peine. Puis, tandis que tous mes voisins poussaient des cris d'effroi et se signaient, une calèche attelée de quatre chevaux arriva derrière nous, nous dépassa presque, mais s'arrêta à côté de la diligence. À la lueur de nos lampes, je vis que les chevaux étaient splendides, d'un noir de charbon. Celui qui les conduisait était un homme de haute taille, doté d'une longue barbe brune, et coiffé d'un large chapeau noir qui nous cachait son visage. Au moment même où il s'adressait à notre conducteur, je distinguai pourtant ses yeux, si brillants que, dans la clarté des lampes, ils semblaient rouges.

– Vous êtes bien tôt, ce soir, mon ami, lui dit-il. Qu'on me donne les bagages de monsieur.

En moins de temps qu'il ne faut pour le dire, mes

valises passèrent de la diligence dans la calèche. Puis, je descendis moi-même et, comme l'autre voiture se trouvait tout à côté, le cocher m'aida en me prenant le bras d'une main qui me sembla d'acier. Cet homme devait être d'une force prodigieuse. Sans un mot, il tira sur les rênes, les chevaux firent demi-tour, et nous roulâmes à nouveau et à toute vitesse dans le col de Borgo.

Un chien se mit à hurler au bas de la route, sans doute dans une cour de ferme ; on eût dit un hurlement de peur, qui se prolongeait... Il fut repris par un autre chien, puis un autre et encore un autre jusqu'à ce que, portés par le vent qui maintenant gémissait à travers le col, ces cris sauvages et sinistres parussent venir de tous les coins du pays. Le cocher, cependant, restait parfaitement calme. J'avais beau essayer de distinguer quelque chose dans l'obscurité, je n'y parvenais pas.

Le voyage me sembla interminable dans la nuit que la lune n'éclairait même plus. Nous continuions à monter, et la route monta encore longtemps, bien que parfois la voiture prît de courtes descentes rapides, pour aussitôt gravir une nouvelle côte. Tout à coup, je m'aperçus que le cocher faisait entrer les chevaux dans la cour d'un grand château en ruine. Des hautes fenêtres obscures ne s'échappait aucun rai de lumière ; les vieux créneaux se découpaient sur le ciel, où la lune, en ce moment, triomphait des nuages.

II

Journal de Jonathan Harker (suite)

5 mai – La calèche s'arrêta, le cocher en descendit, puis me tendit la main pour m'aider à descendre à mon tour. Il prit ensuite mes bagages, les posa à terre, près de moi qui me trouvais près d'une grande porte ancienne, toute cloutée de caboches de fer. Le cocher remonta sur son siège, les chevaux repartirent, et la voiture disparut sous un passage obscur.

Je restais là, ne sachant que faire. Pas de cloche pour sonner, pas de marteau pour frapper; et il n'était pas vraisemblable que l'on pût entendre ma voix de l'autre côté de ces murs épais et de ces fenêtres noires. J'attendis de longs moments qui me semblèrent sans fin, lorsque j'entendis un pas lourd approcher derrière la grande porte. Puis ce fut le bruit de chaînes que l'on détachait et de gros verrous que l'on tirait, et la grande porte s'entrouvrit.

Devant moi se tenait un grand vieillard, rasé de frais, si l'on excepte la longue moustache blanche, et vêtu de noir des pieds à la tête. Il tenait à la main une ancienne lampe d'argent dont la flamme brûlait sans être abritée d'aucun verre, vacillant dans le courant d'air et projetant de longues ombres tremblotantes autour d'elle. D'un geste poli de la main droite, l'homme me pria d'entrer et me dit en un anglais excellent, mais sur un ton bizarre:

– Soyez le bienvenu chez moi !

La force de sa poignée de main me rappelait à tel point celle du cocher dont, à aucun moment, je n'avais vu le visage, que je me demandai alors si ce n'était pas encore au cocher que j'étais en train de parler.

– C'est moi le comte Dracula, monsieur Harker. Entrez, entrez. La nuit est froide ; vous avez certainement besoin de vous reposer, et aussi de manger quelque chose…

Tout en parlant, il posa la lampe sur une console fixée au mur et, descendant le seuil, il alla prendre mes bagages ; avant que j'eusse pu l'en prévenir, il les avait mis dans le corridor. J'ouvris la bouche pour protester, mais, aussitôt, il m'imposa silence :

– Non, monsieur, vous êtes mon invité. Il est tard, tous mes domestiques sont couchés. Permettez-moi de vous conduire moi-même à votre appartement.

Il insista, voulant à tout prix porter mes valises ; il traversa le corridor, prit un grand escalier en colimaçon, puis un autre couloir, sur le pavé duquel chacun de nos pas résonnait longuement. Arrivé au bout, il poussa une lourde porte, et je fus tout aise de me trouver dans une chambre bien éclairée où la table était dressée pour le souper et où un grand feu de bois flamboyait dans l'imposante cheminée.

Le comte s'arrêta, déposa mes bagages, ferma la porte et, traversant la chambre, se dirigea vers une autre porte, qui ouvrait sur une petite pièce octogonale éclairée par une seule lampe ; je n'y vis aucune fenêtre. Passant par cette pièce, mon hôte alla vers une autre porte encore, la poussa, et m'invita d'un geste à franchir ce nouveau seuil. Ah ! l'agréable spectacle ! C'était une vaste chambre à coucher, bien éclairée et chauffée, elle aussi, par un grand feu de bois. Visiblement, on venait de l'allumer, mais il ronflait déjà dans la haute cheminée. Ce fut encore le comte lui-même qui apporta mes valises dans cette chambre, puis il se retira et me dit au moment de refermer la porte :

– Vous désirez certainement vous reposer un peu et changer de vêtements. Lorsque vous serez prêt, revenez dans l'autre chambre. Votre souper vous y attend.

Je fis rapidement ma toilette, et retournai dans l'autre chambre, comme m'y avait invité le comte. Le repas était déjà servi. Mon hôte, appuyé à l'un des côtés de la cheminée, me désigna la table d'un geste aimable :

– Je vous en prie, dit-il, prenez place et soupez à votre aise. Vous m'excuserez, j'espère, si je ne partage pas votre repas ; mais, ayant dîné, je ne pourrais point souper.

Je lui tendis la lettre scellée que Mr. Hawkins m'avait remise pour lui. Il l'ouvrit et la lut, l'air grave ; puis, avec un charmant sourire, il me la donna pour que je la lise à mon tour. Un passage au moins de cette lettre me combla de joie :

«*Je regrette vraiment qu'une nouvelle attaque de goutte m'empêche de voyager en ce moment* ; *néanmoins, je suis heureux de pouvoir vous envoyer à ma place quelqu'un en qui j'ai une entière confiance. Ce jeune homme est plein d'énergie, il connaît parfaitement son métier. Je le répète, on peut avoir confiance en lui ; il est la discrétion même, et je pourrais presque dire qu'il a grandi dans mon étude. Pendant son séjour chez vous, il sera à votre disposition chaque fois que vous le désirerez, et en toutes choses il suivra vos instructions.* »

Le comte quitta la cheminée pour venir lui-même ôter le couvercle d'un plat, et, l'instant d'après, je mangeais un poulet rôti qui était un vrai délice.

Quand j'arrivai à la fin de mon souper, mon hôte en ayant exprimé le désir, j'approchai une chaise du feu de bois pour fumer confortablement un cigare qu'il m'offrit tout en s'excusant de ne pas fumer lui-même. C'était, en vérité, la première occasion qui m'était donnée de pouvoir bien l'observer. Son nez aquilin lui donnait véritablement un profil d'aigle ; il avait le front haut, bombé, les cheveux rares aux tempes mais abondants sur le reste de la tête. La bouche avait une expression cruelle, et les dents, éclatantes de blancheur, étaient particulièrement pointues. J'avais bien remarqué, certes, le dos de ses mains, qu'il tenait croisées sur ses genoux, et, à la clarté du feu, elles m'avaient paru plutôt blanches et fines ; mais, maintenant que je les voyais de plus près, je constatais, au contraire, qu'elles étaient grossières : larges, avec des doigts courts et gros. Aussi étrange que cela puisse sembler, le milieu des paumes était couvert de poils. Toutefois, les ongles étaient longs et fins, taillés en pointe. Quand le comte se pencha vers moi, à me toucher, je ne pus m'empêcher de frémir. Le comte, sans aucun doute, le remarqua, car il recula en souriant d'un sourire qui me parut de mauvais augure et qui me laissa encore mieux voir ses dents proéminentes. Puis il alla reprendre sa place près de la cheminée.

– Vous devez être fatigué, fit-il. Demain vous dormirez aussi tard que bon vous semblera. Pour moi, je devrai m'absenter jusque dans l'après-midi. Dormez donc autant que vous en avez envie, et faites de beaux rêves !

7 *mai* – Le matin, à nouveau. Mais je suis bien reposé maintenant, et les dernières vingt-quatre heures se sont, à tout prendre, très bien passées. Je fais la grasse matinée, je me lève quand je veux. Une fois habillé, le premier jour, je suis allé dans la pièce où j'avais soupé la veille, et où le petit déjeuner était servi Sur la table, je trouvai une carte, portant ces mots :

« *Je dois m'absenter. Ne m'attendez pas. D.* »

Je déjeunai confortablement. Lorsque j'eus terminé, je cherchai des yeux une sonnette, pour avertir les domestiques qu'on pouvait desservir. Mais je ne vis de sonnette nulle part. Pas de domestiques non plus – du moins, je n'en ai pas encore aperçu un seul. Après mon repas, j'eus envie de lire. Aussi allai-je ouvrir une des portes, et je me trouvai précisément dans une sorte de bibliothèque où j'essayai d'ouvrir encore une autre porte. Mais elle était fermée à clef.

Quelle agréable surprise de trouver là bon nombre de livres anglais – il y en avait des rayons entiers –, ainsi que plusieurs collections de revues et de journaux.

J'étais en train d'examiner tous ces titres lorsque la porte s'ouvrit et le comte entra ; il me salua d'une façon très cordiale, me demanda si j'avais passé une bonne nuit.

– Je suis fort aise que vous soyez venu dans la bibliothèque, dit-il, car vous trouverez tout cela fort intéressant, j'en suis sûr. Ces livres ont toujours été pour moi de précieux amis. Jusqu'ici, c'est uniquement par les livres que je connais votre langue. J'espère, mon ami, que vous m'apprendrez à la parler ! Vous arrivez chez moi comme l'agent de mon ami Peter Hawkins, d'Exeter, afin de me mettre au courant de tout ce qui concerne ma nouvelle propriété londonienne ; mais votre séjour chez moi, je l'espère, se prolongera, et ainsi, de conversation en conversation, je me familiariserai avec l'accent anglais.

Et il ajouta :

– Vous pouvez aller partout où vous voulez dans le château, excepté dans les pièces dont vous trouverez les portes fermées à clef, et où, naturellement, vous ne désirerez pas entrer.

Il poursuivit :

– Allons, donnez-moi tous les détails qu'il vous sera possible au sujet de la maison que vous avez achetée pour moi.

Il me posa des questions sans fin sur la maison, l'endroit où elle était située, et sur les lieux environnants. Lorsqu'il eut pris connaissance de tous les détails concernant l'achat du domaine de Purfleet, qu'il eut signé les pièces nécessaires et écrit une lettre à envoyer par le même courrier à Mr. Hawkins, il s'excusa de devoir me quitter, et me demanda de rassembler les papiers. Comme il ne revenait pas, je me mis à parcourir un livre puis un autre… Mes yeux tombèrent sur un atlas, ouvert, bien entendu, à la carte d'Angleterre, et, visiblement, cette carte avait été consultée de très nombreuses fois. Je vis même qu'elle était marquée de plusieurs petits cercles ; les examinant mieux, je constatai que l'un de ceux-ci était tracé à l'est de Londres, là même où était situé le nouveau domaine du comte ; deux autres cercles indiquaient l'emplacement d'Exeter et celui de Whitby, sur la côte du Yorkshire. Une heure s'était presque écoulée quand le comte réapparut.

– Ah ! fit-il, vous savez, il ne faut pas travailler tout le temps… Venez, on vient de m'avertir que votre souper est prêt.

Il me prit le bras, et nous passâmes dans la chambre voisine, où, en effet, un souper délicieux était servi. Une fois encore, le comte s'excusa : il avait dîné dehors. Mais, comme le soir précédent, il s'assit près de moi, et nous bavardâmes pendant tout le temps que je mangeai. Les heures passaient, je devinais que la nuit devait être fort avancée. Soudain, nous entendîmes le chant d'un coq déchirer l'air d'une façon presque surnaturelle. Le comte Dracula, se levant d'un bond, s'écria :

– Quoi ! Le matin déjà !

Et, s'inclinant devant moi, il sortit d'un pas rapide.

Je gagnai ma chambre, où j'écartai les rideaux ; ma fenêtre avait vue sur la cour et je remarquai seulement que le gris du ciel s'éclairait peu à peu. Aussi, après avoir refermé les rideaux, me suis-je mis à écrire ces pages.

8 mai – Quand je me fus mis au lit, je dormis quelques heures à peine et, sentant que je ne pourrais pas me rendormir, je me levai. J'avais accroché la petite glace de mon nécessaire à l'espagnolette de ma fenêtre et je commençais à me raser quand, soudain, je sentis une main se poser sur mon épaule et reconnus la voix du comte qui me disait : « Bonjour ! »

Je sursautai, fort étonné de ne pas l'avoir vu venir, puisque, dans le miroir, je voyais reflétée toute l'étendue de la chambre qui se trouvait derrière moi. Dans mon mouvement de surprise, je m'étais légèrement coupé au menton. Posant mon rasoir, je tournai la tête à demi pour chercher des yeux un morceau de coton. Quand le comte vit mon visage, ses yeux étincelèrent d'une sorte de fureur diabolique et, tout à coup, il me saisit à la gorge. Je reculai brusquement, et sa main toucha le chapelet auquel était suspendu le petit crucifix. À l'instant, il se fit en lui un tel changement, et sa fureur se dissipa d'une façon si soudaine, que je pouvais à peine croire qu'il s'était mis reellement en colère.

– Prenez garde, me dit-il, prenez garde quand vous vous blessez. Dans ce pays, c'est plus dangereux que vous ne le pensez…

Puis, décrochant le miroir de l'espagnolette, il poursuivit :

– Et si vous êtes blessé, c'est à cause de cet objet de malheur ! Il ne fait que flatter la vanité des hommes. Mieux vaut s'en défaire.

Il ouvrit la lourde fenêtre d'un seul geste de sa terrible main et jeta le miroir, qui alla se briser sur le pavé de la cour. Puis il sortit de la chambre.

Quand j'entrai dans la salle à manger, le petit déjeuner était servi. Mais je ne vis le comte nulle part. Aussi bien je déjeunai seul. Je n'ai pas encore vu le comte manger ou boire. Quel homme singulier ! Après mon repas, l'envie me prit d'aller à la découverte du château. Je me dirigeai vers l'escalier et, près de là, était ouverte la porte d'une chambre dont la fenêtre donnait sur le côté sud. Lorsque j'eus contemplé un moment le paysage, je poursuivis mon exploration. Des portes, des portes, des portes partout, et toutes fermées à clef ou au verrou ! Il est impossible de sortir d'ici.

Le château est une vraie prison, et j'y suis prisonnier !

III

Journal de Jonathan Harker (suite)

J'en étais arrivé à ce point de mes réflexions quand j'entendis la grande porte d'en bas se refermer : le comte était rentré. Sur la pointe des pieds, je retournai dans ma chambre. Quelle ne fut pas ma surprise de le trouver là, en train de faire mon lit ! Je fus grandement étonné, certes, mais cela eut aussi pour effet de me confirmer ce que je pensais depuis le début : il n'y avait pas de domestiques dans la maison. S'il se chargeait de ces tâches, c'est qu'il n'y avait personne d'autre pour les remplir. Je frissonnai horriblement en songeant alors que, s'il n'y avait aucun domestique au château, c'était le comte en personne qui conduisait la voiture qui m'y avait amené.

12 mai – Hier soir, il s'est mis à m'interroger sur des questions de droit et sur la façon de traiter certaines affaires. Lorsqu'il eut tous les renseignements qu'il désirait, il se leva brusquement en me demandant :

– Avez-vous écrit à notre ami Mr. Peter Hawkins ou à d'autres personnes ?

Ce ne fut pas sans quelque amertume que je lui répondis que, non, je n'avais pas encore eu l'occasion d'envoyer aucune lettre à mes amis.

– Alors, écrivez maintenant, dit-il en appuyant sa lourde main sur mon épaule ; écrivez à Mr. Peter

Hawkins et à qui vous voulez ; et annoncez, s'il vous plaît, que vous séjournerez ici encore un mois à partir d'aujourd'hui.

– Vous désirez que je reste ici si longtemps ?

– Je n'accepterai aucun refus. Quand votre maître, votre patron... peu importe le nom que vous lui donnez... s'engagea à m'envoyer quelqu'un, il a été bien entendu que j'emploierais ses services comme bon me semblerait... Pas de refus ! Vous êtes d'accord ?

Que pouvais-je faire, sinon m'incliner ? Tout en parlant, il me tendit trois feuilles de papier et trois enveloppes. C'était du papier très mince et, comme mon regard allait des feuilles et des enveloppes au visage du comte qui souriait tranquillement, ses longues dents pointues reposant sur la lèvre inférieure très rouge, je compris, aussi clairement que s'il me l'avait dit, que je devais prendre garde à ce que j'allais écrire, car il pourrait lire le tout. Aussi décidai-je de n'écrire ce soir-là que des lettres brèves et assez insignifiantes, me réservant d'écrire plus longuement, en secret, à Mr. Hawkins ainsi qu'à Mina. J'écrivis donc deux lettres, puis je m'assis tranquillement pour lire, tandis que le comte s'occupait également de correspondance. Son travail terminé, il prit mes deux lettres, qu'il joignit aux siennes, plaça le paquet près de l'encrier et des plumes, et sortit. Dès que la porte se fut refermée derrière lui, je me penchai pour regarder les lettres.

Une des lettres était adressee à Samuel F. Bellington, n° 7, The Crescent, Whitby ; une autre à *Herr*

Leutner, Varna ; une troisième à Coutts & Co., Londres, et la quatrième à *Herren* Klopstock Billreuth, banquiers à Budapest. La deuxième et la quatrième n'étaient pas fermées. J'étais sur le point de les lire quand je vis tourner lentement la clenche de la porte. Je me rassis, n'ayant eu que le temps de replacer les lettres dans l'ordre où je les avais trouvées et de reprendre mon livre avant que le comte, tenant une autre lettre en main, n'entrât dans la pièce. Il prit une à une les lettres qu'il avait laissées sur la table, les timbra avec soin, puis, se tournant vers moi, me dit :

– Vous voudrez bien m'excuser, je l'espère, mais j'ai beaucoup de travail ce soir. Vous trouverez ici, n'est-ce pas, tout ce dont vous avez besoin.

Arrivé à la porte, il se retourna, attendit un moment, et reprit :

– Laissez-moi vous donner un conseil, mon cher jeune ami, ou plutôt un avertissement : s'il vous arrivait jamais de quitter ces appartements, nulle part ailleurs dans le château vous ne trouveriez le sommeil. Car ce manoir est vieux, il est peuplé de souvenirs anciens, et les cauchemars attendent ceux qui dorment là où cela ne leur est pas permis. Soyez donc averti.

Un peu plus tard – J'ai accroché la petite croix au-dessus de mon lit ; je suppose que, ainsi, mon repos sera calme, sans cauchemars.

Quand le comte m'eut quitté, de mon côté, je me

retirai dans ma chambre. Quelques moments se passèrent, puis, comme je n'entendais pas le moindre bruit, je sortis dans le couloir et montai l'escalier de pierre jusqu'à l'endroit d'où j'avais vue sur le sud. Comme je me penchais à la fenêtre, mon attention fut attirée par quelque chose qui bougeait à l'étage au-dessous, un peu à ma gauche.

La tête du comte passa par la fenêtre. Tout d'abord, je fus intéressé et quelque peu amusé. Ces sentiments pourtant firent bientôt place à la répulsion et à la frayeur quand je vis le comte sortir lentement par la fenêtre et se mettre à ramper, la tête la première, contre le mur du château. Il s'accrochait ainsi au-dessus de cet abîme vertigineux, et son manteau s'étalait de part et d'autre de son corps comme deux grandes ailes. Je ne pouvais en croire mes yeux. Je pensais que c'était un effet du clair de lune, un jeu d'ombres ; mais, en regardant toujours plus attentivement, je compris que je ne me trompais pas. Il descendit rapidement, exactement comme un lézard se déplace le long d'un mur.

Quel homme est-ce, ou plutôt quel genre de créature sous l'apparence d'un homme ? Plus que jamais, je sens l'horreur de ce lieu ; j'ai peur... j'ai terriblement peur... et il m'est impossible de m'enfuir...

16 mai, au matin – Dieu veuille que je garde mon équilibre mental, car c'est tout ce qu'il me reste. Je m'en remets à mon journal : il me servira de guide. Le fait d'y inscrire en détail tout ce que je découvre sera pour moi un apaisement.

Quand j'eus écrit ces lignes de mon journal et remis feuillets et plume dans ma poche, je décidai de ne pas retourner dans ma chambre. J'approchai une chaise longue de la fenêtre afin que, étendu, je puisse encore voir le paysage. Sans doute me suis-je endormi ; je l'espère, encore que je craigne que non, car tout ce qui suivit me parut tellement réel, si réel que, maintenant, au grand jour, dans ma chambre éclairée par le soleil matinal, je n'arrive pas à croire que j'aie pu rêver.

Je n'étais pas seul. En face de moi se tenaient trois jeunes femmes, des dames de qualité à en juger par leurs toilettes et leurs manières. Elles s'avancèrent vers moi, me dévisagèrent un moment, puis se parlèrent à l'oreille. Deux d'entre elles avaient les cheveux bruns, le nez aquilin, comme le comte, et de grands yeux noirs perçants. La troisième était extraordinairement belle, avec une longue chevelure d'or ondulée.

La blonde s'approcha, se pencha sur moi au point que je sentis sa respiration. L'haleine était douce, douce comme du miel, mais quelque chose d'amer se mêlait à cette douceur, quelque chose d'amer comme il s'en dégage de l'odeur du sang. Sa tête descendait de plus en plus, ses lèvres furent au niveau de ma bouche, puis de mon menton, et ce que je sentis, ce fut la caresse tremblante des lèvres sur ma gorge et la légère morsure de deux dents pointues. La sensation se prolongeant, je fermai les yeux dans une extase langoureuse. Puis j'attendis – j'attendis, le cœur battant.

Au même instant, le comte était là, comme surgi d'une tourmente. Je vis sa main de fer saisir le cou délicat de la jeune femme et la repousser avec une force herculéenne ; cependant les yeux de la femme brillaient de colère, ses dents blanches grinçaient de fureur et les jolies joues s'empourpraient d'indignation. Quant au comte ! Jamais je n'aurais imaginé qu'on pût se laisser emporter par une telle fureur. D'un geste brusque du bras, il envoya la jeune femme presque à l'autre bout de la pièce, et il se contenta de faire un signe aux deux autres, qui, aussitôt, reculèrent.

– N'aurons-nous donc rien cette nuit ? demanda l'une d'elles en riant légèrement tandis que, du doigt, elle désignait le sac que le comte avait jeté sur le plancher et qui remuait comme s'il renfermait un être vivant.

Pour toute réponse, il secoua la tête. Une des jeunes femmes bondit en avant et ouvrit le sac. Je crus entendre un faible gémissement, comme celui d'un enfant à demi étouffé. Les femmes entourèrent le sac tandis que je demeurais pétrifié d'horreur. Mais, alors que je tenais encore mes regards fixés sur le plancher, elles disparurent, et le sac disparut avec elles.

Alors, vaincu par l'horreur, je sombrai dans l'inconscience.

IV

Journal de Jonathan Harker (suite)

19 mai – Assurément, je suis pris dans les filets du comte ; inutile d'espérer encore pouvoir m'en échapper. Hier soir, il m'a demandé de son ton le plus charmant d'écrire trois lettres, l'une d'entre elles disant que j'avais presque terminé mon travail ici et que je repartirais dans quelques jours, l'autre que je repartais le lendemain même, la troisième enfin que j'avais quitté le château et que j'étais arrivé à Bistritz. Il m'expliqua que les services des postes étaient fort irréguliers et que mes lettres rassureraient mes amis ; puis il me dit que, pour ce qui était de la dernière lettre, il la ferait garder à Bistritz jusqu'à la date où je devrais réellement partir, à supposer que mon séjour se prolongeât. Je feignis donc de l'approuver, et je lui demandai quelles dates je devais inscrire sur mes lettres. Ayant réfléchi un moment, il me répondit :

– Datez la première du 12 juin, la deuxième, du 19, et la troisième, du 29.

Je sais maintenant le temps qu'il me reste à vivre. Dieu me protège !

28 mai – Peut-être trouverai-je le moyen de m'échapper ou, au moins, d'envoyer des nouvelles chez moi. Des Tziganes sont venus au château, ils campent dans la cour. Je vais écrire quelques lettres, puis j'essaierai de les leur donner afin qu'ils les mettent à la poste. Ces lettres sont prêtes. Celle pour Mina est sténographiée et, quant à Mr. Hawkins, je lui demande simplement de se mettre en rapport avec Mina. Je l'ai mise au courant de ma situation, sans toutefois lui parler des horreurs que, somme toute, je ne fais encore que soupçonner.

J'ai donné les lettres ; je les ai jetées, accompagnées d'une pièce d'or, d'entre les barreaux de ma fenêtre et, par signes, j'ai fait comprendre aux Tziganes que je leur demandais de les mettre à la poste. Celui qui les a prises les a pressées contre son cœur en s'inclinant. Je n'avais plus qu'à attendre. J'allai dans la bibliothèque, où je me mis à lire. Puis, comme le comte ne venait pas, j'ai écrit ces lignes…

Pourtant, je ne suis pas resté longtemps seul ; le comte est venu s'installer près de moi et m'a dit d'une voix très douce, cependant qu'il ouvrait deux lettres :

– Les Tziganes m'ont remis ces plis. Celui-ci est de vous, adressé à mon ami Peter Hawkins ; l'autre… (en ouvrant la seconde enveloppe, il considéra les caractères insolites et il prit son air le plus sombre, et ses yeux brillèrent d'indignation et de méchanceté à la fois)… l'autre représente à mes yeux une chose odieuse, il trahit une amitié hospitalière ! Et, de plus, il n'est pas signé… Donc, il ne peut pas nous intéresser.

Avec le plus grand calme, il approcha de la lampe la feuille et l'enveloppe, les présentant à la flamme jusqu'à ce qu'elles fussent entièrement brûlées. Il reprit alors :

– La lettre à Hawkins, celle-là, bien entendu, je l'enverrai puisque c'est vous qui l'avez écrite. Vos lettres sont pour moi choses sacrées.

Et, s'inclinant courtoisement, il me tendit la lettre avec une nouvelle enveloppe. Lorsqu'il me quitta, dès qu'il eut refermé la porte, j'entendis la clef tourner doucement dans la serrure. Je laissai passer quelques instants, puis j'allai essayer d'ouvrir la porte ; elle était fermée à clef.

31 mai – Nouvelle surprise, nouveau choc ! Tous mes papiers ont disparu, du plus insignifiant jusqu'à ceux qui m'étaient nécessaires et indispensables pour mon voyage, une fois que j'aurais quitté le château. J'ai réfléchi, puis j'ai songé à aller ouvrir ma valise et la garde-robe où j'ai rangé mes vêtements.

Le costume que je portais pour voyager n'était plus là, ni mon pardessus, ni ma couverture de voyage… Quelle machination tout cela cache-t-il encore ?

17 juin – Ce matin, j'entendis claquer des fouets au-dehors et résonner des sabots de chevaux sur le sentier rocailleux qui mène à la cour du château. Le cœur battant de joie, je me précipitai à la fenêtre et vis deux grandes charrettes qui entraient dans la cour, l'une et l'autre tirées par huit chevaux robustes et menées par un Slovaque en costume national. Les charrettes amenaient de grandes caisses carrées dont les poignées étaient faites de cordes épaisses. À voir la facilité avec laquelle les Slovaques les maniaient et à entendre le bruit qu'elles faisaient quand ils les laissaient tomber sur le pavé, on devinait qu'elles étaient vides. Lorsque toutes furent mises en tas dans un coin de la cour, les Tziganes donnèrent aux Slovaques quelque argent, et ceux-ci retournèrent d'un pas lent près de leurs chevaux. À mesure qu'ils s'éloignaient, j'entendais de plus en plus faiblement les claquements de leurs fouets.

24 juin, un peu avant l'aube – Le comte m'a quitté assez tôt hier soir et s'est enfermé dans sa chambre. Dès qu'il m'a paru possible de le faire sans courir trop de risques, j'ai gravi en toute hâte l'escalier en colimaçon, dans l'intention de guetter le comte par la fenêtre qui donne au sud.

J'étais à la fenêtre depuis près d'une demi-heure quand je vis comme une ombre d'abord remuer à la fenêtre du comte, puis commencer à sortir. C'était le comte lui-même qui, bientôt, se trouva complètement au-dehors. Une fois de plus, ma surprise fut grande : il était vêtu du costume que je portais pendant mon voyage et il avait jeté sur ses épaules l'horrible sac que j'avais vu disparaître en même temps que les trois jeunes femmes. Je ne pouvais plus avoir de doute quant au but de sa nouvelle expédition. C'était encore un tour de son extrême malice : il s'arrangeait de telle sorte que les gens croient me reconnaître; ainsi, il pourrait prouver que l'on m'avait vu mettre mes lettres à la poste en ville ou dans l'un des villages environnants, et toute vilenie dont il se rendrait désormais coupable me serait de fait attribuée par les habitants de l'endroit.

Au bout de deux heures environ, j'entendis dans la chambre du comte comme un vagissement aigu aussitôt étouffé. Puis plus rien: un silence profond, atroce, qui me glaça le cœur. Je me précipitai à la porte; mais j'étais enfermé dans ma prison et totalement impuissant. Je m'assis sur mon lit et me mis à pleurer.

C'est alors que j'entendis un cri au-dehors, dans la cour: le cri douloureux que poussait une femme. J'allai à la fenêtre et, en effet, je vis une femme, la chevelure en désordre et les deux mains sur son cœur. Elle était appuyée contre la grille. Quand elle me vit à la fenêtre, elle accourut en criant d'une voix chargée de menaces:

– Monstre, rendez-moi mon enfant!

Elle s'approcha de la façade, s'y jeta presque, et, bien que je ne pusse plus la voir, j'entendis ses poings tambouriner sur la porte d'entrée.

Au-dessus de moi, venant sans doute du haut de la tour, j'entendis alors la voix du comte. Il appelait d'un murmure rauque, qui avait quelque chose de métallique. Et, au loin, le hurlement des loups semblait lui répondre. Quelques minutes plus tard, une bande de ces loups envahissait la cour avec la force impétueuse des eaux quand elles ont rompu un barrage.

La femme ne poussa aucun cri, et les loups cessèrent presque aussitôt de hurler. Je ne tardai pas à les voir se retirer l'un à la suite de l'autre en se pourléchant les babines.

Je n'arrivais pas à plaindre cette femme, car, comprenant maintenant le sort qui avait été réservé à son enfant, je me disais qu'il valait mieux qu'elle l'eût rejoint dans la mort.

25 juin – J'ai donc été là-bas et, Dieu m'aidant, je suis revenu sain et sauf dans ma chambre. J'expliquerai tout en détail. Alors qu'un grand élan de courage m'y poussait, je me dirigeai vers cette fenêtre donnant sur le sud et, tout de suite, je me suis hissé sur l'étroit rebord de pierre qui, de ce côté, court tout le long du mur. Je savais parfaitement où se trouvait la fenêtre du comte, que j'atteignis aussi vite que je pus. Me courbant et les pieds en avant, je me glissai dans la chambre. Des yeux, je cherchai le comte, mais je fis une heureuse découverte : il n'était pas là ! Mon attention fut attirée par un gros tas de pièces d'or dans un coin. Toutes étaient vieilles au moins de trois cents ans. Je remarquai également des chaînes, des bibelots, certains même sertis de pierres précieuses, mais le tout très vieux et abîmé.

Je me dirigeai alors vers une lourde porte que j'aperçus dans un coin. Cette porte était ouverte et donnait accès à un couloir aux murs de pierre qui lui-même conduisait à un escalier en colimaçon fort abrupt. Je descendis en prenant beaucoup de précautions, car l'escalier n'était éclairé que par deux meurtrières pratiquées dans l'épaisse maçonnerie. Arrivé à la dernière marche, je me trouvai dans un nouveau couloir obscur, un vrai tunnel, où régnait une odeur âcre qui évoquait la mort : l'odeur de vieille terre que l'on vient de remuer. Tandis que j'avançais, l'odeur devenait plus lourde, presque insupportable. Enfin, je poussai une autre porte très épaisse qui s'ouvrit toute grande. J'étais dans une vieille chapelle en ruine où, cela ne faisait aucun doute, des corps avaient été enterrés. Le sol avait été récemment retourné, et la terre mise dans de grandes caisses posées un peu partout : celles, sans aucun doute, qu'avaient apportées les Slovaques. Il n'y avait personne. Aussi continuai-je mes recherches : peut-être existait-il une sortie dans les environs ? Non, aucune. Alors, j'examinai les lieux plus minutieusement encore. Je descendis même dans les caveaux où parvenait une faible lumière, encore que mon âme y répugnât. Dans les deux premiers, je ne vis rien, sinon des fragments de vieux cercueils et des monceaux de poussière. Dans le troisième pourtant, je fis une découverte.

Là, dans une des grandes caisses posées sur un tas de terre fraîchement retournée, gisait le comte ! Était-il mort ou bien dormait-il ? Ses yeux étaient ouverts, on aurait dit pétrifiés ; mais non vitreux comme dans la mort, et les joues, malgré leur pâleur, gardaient la chaleur de la vie ; quant aux lèvres, elles étaient aussi rouges que d'habitude. Mais le corps restait sans mouvement, sans aucun signe de respiration, et le cœur semblait avoir cessé de battre. Je me penchai, espérant malgré tout percevoir quelque signe de vie : en vain. Il ne devait pas être étendu là depuis longtemps, l'odeur de la terre étant encore trop fraîche : après quelques heures, on ne l'aurait plus sentie. Le couvercle de la caisse était dressé contre celle-ci et percé de trous par-ci par-là. Je me dis que le comte gardait peut-être les clefs dans une de ses poches ; mais, comme je m'apprêtais à le fouiller, je vis dans ses yeux, bien qu'ils fussent éteints et inconscients de ma présence, une telle expression de haine que je m'enfuis aussitôt, regagnai sa chambre, repassai par la fenêtre et remontai en rampant le long du mur. Une fois dans ma chambre, je me jetai tout essoufflé sur mon lit, et j'essayai de rassembler mes idées…

29 juin – C'est d'aujourd'hui qu'est datée ma dernière lettre, et le comte a dû veiller à ce qu'il ne puisse exister aucun doute au sujet de la date, car, une fois encore, je l'ai vu quitter le château en sortant par la même fenêtre et portant mes vêtements. Je revins dans la bibliothèque, pris un livre et, bientôt, je tombai endormi.

Je fus réveillé par le comte qui me dit, menaçant :

– Demain, mon ami, nous nous ferons nos adieux. Vous repartirez pour votre belle Angleterre, et moi, vers une occupation dont l'issue peut être telle que nous ne nous verrons plus jamais. Votre lettre aux vôtres a été mise à la poste. Je ne serai pas ici demain, mais tout sera prêt pour votre départ. Les Tziganes arriveront le matin, car ils ont un travail à poursuivre, de même que des Slovaques. Quand ils s'en seront allés, ma voiture viendra vous chercher et elle vous conduira au col de Borgo où vous prendrez la diligence pour Bistritz. Mais j'espère que j'aurai encore le plaisir de vous recevoir au château de Dracula!

Je regagnai ma chambre. Pour la dernière fois, je vis le comte Dracula, m'envoyant un baiser de sa main; ses yeux brillaient de triomphe et ses traits rayonnaient d'un sourire dont Judas eût pu être fier. J'allais me mettre au lit lorsqu'il me sembla entendre que l'on chuchotait derrière ma porte. Je m'en approchai sur la pointe des pieds, et j'écoutai. Je crus reconnaître la voix du comte:

– Non, non, disait la voix, retournez d'où vous venez! Pour vous, ce n'est pas encore le moment... Attendez! Un peu de patience! Cette nuit m'appartient, la prochaine sera à vous!

Des rires moqueurs et étouffés lui répondirent; fou de rage, j'ouvris brusquement la porte, et je vis les trois femmes qui se léchaient les babines. Quand, de leur côté, elles m'aperçurent, ensemble elles partirent à nouveau d'un rire sinistre, et s'enfuirent. Rentré dans ma chambre, je me jetai à genoux. Ma fin était-elle si proche? Demain! Seigneur! Secourez-moi!

30 juin, au matin – Peut-être sont-ce les dernières lignes que j'écris dans ce journal. Dès mon réveil, un peu avant l'aube, je me suis agenouillé, car, si mon heure est venue, je veux que la mort me trouve prêt.

Bientôt, le matin fut là... Avec le premier chant du coq, j'ai senti que j'étais sauvé. C'est d'un cœur léger que j'ai ouvert ma porte et que je suis descendu. Je remarquai tout de suite que la porte d'entrée n'était pas fermée à clef: donc que je pourrais fuir. Les mains toutes tremblantes d'impatience, je détachai les chaînes et ouvris les verrous.

Mais la porte refusait de s'ébranler. Je compris qu'elle avait été fermée à clef après que j'eus quitté le comte. Alors, je me dis que, à tout prix, il me fallait trouver cette clef et que, pour me la procurer, j'allais de nouveau ramper le long du mur et entrer dans la chambre du comte. Sans perdre un moment, je remontai jusqu'à la fenêtre qui me permettait de sortir de la maison et de descendre jusqu'à celle du comte. La chambre du comte était vide. Je ne trouvai de clef nulle part, mais le tas de pièces d'or était toujours là. Par l'escalier et le couloir obscur que j'avais déjà pris la première fois, je retournai à la chapelle. Je ne savais que trop, maintenant, où trouver le monstre que je cherchais.

La grande caisse se trouvait encore à la même place, contre le mur, mais, cette fois, le couvercle était mis, non pas attaché; seulement les clous étaient disposés en sorte qu'il suffisait de donner les nécessaires coups de marteau. Il me fallait, je le savais, fouiller le corps pour trouver la clef; je soulevai donc le couvercle, l'appuyai contre le mur; et ce que je vis alors m'emplit d'horreur! Oui, le comte gisait là, mais il parais sait à moitié rajeuni, car ses cheveux blancs, sa moustache blanche étaient maintenant d'un gris de fer; les joues étaient plus pleines et une certaine rougeur apparaissait sous la pâleur de la peau. Quant aux lèvres, elles étaient plus vermeilles que jamais, car des gouttes de sang frais sortaient des coins de la bouche, coulaient sur le menton et sur le cou. Les yeux enfoncés et brillants disparaissaient dans le visage boursouflé. On eût dit que cette horrible créature était tout simplement gorgée de sang. Je frémis quand je dus me pencher pour toucher ce corps; tout en moi répugnait à ce contact; mais je devais trouver ce que je cherchais. Je cherchai, dans toutes les poches, entre les vêtements, mais, de clef, nulle part! M'interrompant, je regardai le comte encore plus attentivement. Sur ces traits gonflés errait comme un sourire moqueur qui me rendait fou. Il me fallait débarrasser le monde d'un tel monstre. Je n'avais pas d'arme sous la main, mais je saisis une pelle dont les ouvriers s'étaient servis pour remplir les caisses et, la soulevant bien haut, je frappai avec le tranchant l'odieux visage. Mais, à l'instant même, la tête tourna légèrement, les yeux, brillant de tout leur éclat venimeux, rencontrèrent les miens. Je demeurai comme paralysé; la pelle tournoya dans ma main et ne fit qu'effleurer le visage, mais entailla profondément le front. Puis elle m'échappa, tomba sur la caisse et, comme je voulais la retirer, elle accrocha le couvercle, qui retomba, me cachant l'affreux spectacle. Le dernier détail que j'en vis fut le visage boursouflé, couvert de sang, marqué de ce sourire méchant qui venait, eût-on dit, des profondeurs de l'enfer.

Après avoir jeté un dernier regard autour de moi, puis à la caisse qui contenait le corps odieux, je regagnai en courant la chambre du comte, bien décidé à m'enfuir au moment où s'ouvrirait la porte d'entrée. Mais, à ce moment, un violent courant d'air referma la porte qui donnait accès à l'escalier en colimaçon et, du coup, toute la poussière s'envola. Quand je me précipitai pour ouvrir cette porte, je la trouvai fermée à clef. J'étais à nouveau prisonnier; le filet du destin se resserrait de plus en plus autour de moi.

Tandis que j'écris, j'entends dans le couloir, en bas, que l'on marche lourdement et qu'on laisse tomber... oui... ce sont sans doute les caisses remplies de terre. Puis, un bruit de marteau; on cloue le couvercle de la fameuse caisse. Maintenant, j'entends les pas dans le corridor, suivis d'autres pas qui me semblent plus légers.

On referme la porte; on remet les chaînes; on tourne la clef dans la serrure; on la retire de la serrure; puis on ouvre et on referme une autre porte; j'entends tourner la clef et pousser le verrou.

V

Lettre de miss Mina Murray à miss Lucy Westenra

« 9 mai.

« Ma très chère Lucy,

« Pardonne mon long silence, mais j'ai beaucoup travaillé ces temps-ci parce que je veux pouvoir collaborer avec Jonathan ; j'étudie assidûment la sténographie ; de cette façon, quand nous serons mariés, je pourrai l'aider, prendre en sténo toutes ses notes et les dactylographier ensuite. Je me réjouis de te parler de mes petits projets. Je viens justement de recevoir un mot de Jonathan, qui est toujours en Transylvanie. Il va bien, et il sera ici dans une semaine environ.

« Affectueusement à toi,

« Mina. »

« P.-S. : Quand tu m'écriras, dis-moi tout ! Cela ne t'est plus arrivé depuis longtemps. Je crois avoir entendu parler d'un beau grand jeune homme aux cheveux bouclés ??? »

Lettre de Lucy Westenra à Mina Murray

« Mercredi, 17, Chatham Street.

« Ma très chère Mina,

« En ce qui concerne le grand jeune homme aux cheveux bouclés, je suppose que tu fais allusion à celui qui m'accompagnait au dernier concert. C'était Mr. Holmwood. *Il vient*

souvent en visite chez nous. J'y pense : nous avons récemment rencontré quelqu'un qui serait, comme on dit, fait pour toi, si tu n'étais pas déjà fiancée à Jonathan. Il est médecin et très intelligent. Figure-toi qu'il n'a que vingt-neuf ans et qu'il dirige un hospice d'aliénés très important. Mr. Holmwood me l'a présenté, et lui aussi, maintenant, a pris l'habitude de nous faire visite. C'est l'homme le plus ferme, le plus résolu que je connaisse, mais en même temps le plus calme. J'imagine le pouvoir étonnant qu'il doit avoir sur ses malades. Bonsoir. Prie pour moi, Mina, et prie pour mon bonheur.

« Lucy. »

Lettre de Lucy Westenra à Mina Murray

« 24 mai.

« Ma très chère Mina,

« Ma chérie, un bonheur ne vient jamais seul. J'aurai vingt ans en septembre et, jusqu'à ce jour, personne ne m'avait jamais demandée en mariage ; et voici qu'aujourd'hui j'ai reçu trois propositions ! Oui, trois propositions en une seule journée ! Le numéro un est arrivé vers midi. Je t'ai déjà parlé de lui : c'est le Dr. John Seward, le directeur de l'hospice d'aliénés. Il m'a dit combien il tenait à moi, bien qu'il ne me connaisse que depuis si peu de temps, et que sa vie lui semblerait merveilleuse si j'étais à ses côtés pour l'aider, l'encourager, le réconforter. Alors, Mina, j'ai senti qu'il était de mon devoir de lui avouer que j'aimais quelqu'un. Être demandée en mariage, c'est charmant, et tout, et tout, mais, je t'assure,

on n'est pas tout à fait heureuse quand on a vu un pauvre garçon qui vous aime sincèrement s'en aller le cœur brisé... Ma chérie, je m'arrête, je suis incapable d'en écrire davantage, je suis très triste, et pourtant si heureuse !

« Le soir – Arthur vient de partir, et je me sens beaucoup mieux qu'au moment où j'ai interrompu cette lettre. Je vais donc continuer à te raconter ma journée. Le numéro deux est arrivé après le déjeuner. C'est un garçon absolument charmant, un Américain du Texas, et il paraît si jeune que l'on se demande s'il est possible qu'il ait déjà vu tant de pays et tant de choses ! Bon, Mr. Morris s'assit donc à côté de moi, l'air heureux et joyeux, encore que très nerveux, je m'en aperçus tout de suite. Il me prit la main et, la serrant longuement, il me dit sur un ton très, très doux :

« – Miss Lucy, je ne suis même pas digne, je le sais, de nouer les lacets de vos jolis souliers, mais je pense que, si vous attendez de trouver un homme qui le soit, vous attendrez encore longtemps. Ne voulez-vous pas que nous fassions route ensemble, côte à côte, sous le harnais ?

« Il paraissait d'humeur si gaie, vraiment, que j'eus l'impression que, si je refusais son offre, il en serait beaucoup moins affecté que le pauvre Dr. Seward ; aussi répondis-je, à mon tour sur un ton enjoué, que je n'avais pas encore envie de me laisser mettre le harnais. Ma chérie, tout cela me trouble beaucoup, et je ne veux rien te dire du numéro trois avant que mon bonheur ne soit entier.

« Ton amie pour toujours,

« Lucy. »

« P.-S. : Oh ! Le numéro trois... Il me semble que quelques minutes à peine se sont écoulées entre le moment où il est entré au salon et celui où il m'a serrée dans ses bras et couverte de baisers. Je suis tellement, tellement heureuse ! »

Journal du Dr. Seward
(enregistré sur phonographe)

25 mai – Assez déprimé aujourd'hui. Depuis que ma demande en mariage a été repoussée, hier, j'ai l'impression de vivre dans le vide ; plus rien ne me semble assez important pour mériter que l'on s'en occupe... Comme je sais que le seul remède à cet état est le travail, j'ai rassemblé tout ce qui me restait de forces et je suis allé voir mes malades. J'en ai examiné un dont le cas me paraît particulièrement intéressant. Son comportement est si bizarre que je suis maintenant bien décidé à faire tous les efforts nécessaires pour essayer de comprendre ce qui se passe en lui. Il me semble enfin que je commence à pénétrer son mystère.

VI

Journal de Mina Murray

Whitby, 24 juillet – Lucy, plus jolie et plus charmante que jamais, est venue me chercher à la descente du train, et nous nous sommes rendues aussitôt à l'hôtel du Crescent où elle et sa mère ont leurs appartements. C'est un endroit ravissant. Le paysage est admirable à marée haute. Plus loin que le port s'élève, sur la longueur d'environ un demi-mille, un haut banc de roches qui part de derrière le phare ; au bout se trouve une bouée munie d'une cloche qui sonne lugubrement par gros temps. Une légende locale veut que, lorsqu'un bateau est perdu, les marins entendent cette cloche jusqu'en haute mer… Il faut que je demande à ce vieillard qui vient vers moi si cela est vrai…

1er août – Je suis ici, avec Lucy, depuis une heure environ, et nous avons eu une conversation fort intéressante avec mon nouvel ami, le vieux marin, et ses deux compagnons qui viennent chaque jour le rejoindre. J'ai amené la conversation sur le sujet des légendes, et il s'est lancé dans une sorte de sermon !

– Tout ça, mam'zelle, c'est des sottises ! Toutes ces histoires de charme, d'envoût'ment, de sorcellerie, c'est tout juste bon pour les vieilles femmes qui ont un peu perdu la tête. V'là la cloche qui sonne, j'dois m'en aller. Vot' serviteur, mesdames !

Et il s'éloigna, traînant la jambe.

Nous restâmes encore quelque temps assises sur le banc. Lucy me parla longuement d'Arthur et de leur prochain mariage. J'en eus le cœur un peu serré, car il y a plus d'un mois maintenant que je suis sans nouvelles de Jonathan.

Journal du Dr. Seward

5 juin – Le cas de Renfield devient de plus en plus intéressant. Sont très développés chez lui : l'égoïsme, la dissimulation et l'obstination. Pour le moment, sa manie est d'attraper les mouches. Il en a déjà une telle quantité qu'il m'a paru indispensable de lui faire une observation à ce sujet. Après avoir réfléchi quelques instants, il m'a simplement demandé sur un ton fort sérieux :

– Vous m'accordez trois jours ? En trois jours, je les ferai disparaître.

Bien entendu, j'ai répondu oui. Plus que jamais, je vais l'observer.

18 juin – Pour le moment, il ne pense plus qu'aux araignées ; il en a pris de très grosses qu'il a mises dans une boîte. Pour les nourrir, il leur donne ses mouches, dont le nombre diminue beaucoup, encore qu'il en ait attrapé de nouvelles avec, comme appât, sur le rebord de sa fenêtre, la moitié des repas qu'on lui apporte.

1er juillet – Ses araignées deviennent aussi encombrantes que ses mouches, et je lui ai ordonné aujourd'hui de s'en débarrasser. Le visage rayonnant, il m'a promis qu'il le ferait. Pendant que j'étais avec lui, j'ai été assez dégoûté quand une grosse mouche à viande, gonflée de je ne sais quelle pourriture, s'est mise à voler dans la chambre ; il l'a attrapée et, l'air ravi, il l'a mise en bouche et mangée.

19 juillet – Nous faisons des progrès dans l'étude du cas. Renfield a maintenant toute une colonie de moineaux ; les mouches et les araignées ont presque entièrement disparu. Quand je suis entré dans la chambre, il s'est précipité vers moi en me disant qu'il voulait me demander une grande faveur, une très très grande faveur : « Je voudrais un chat ! » Je hochai la tête et lui dis que je pensais que ce n'était pas possible, du moins pour le moment, mais enfin que l'on verrait... Son visage s'assombrit et j'y lus comme un avertissement de danger. Ce malade est un homicide en puissance. Je vais voir où le mène son obsession actuelle.

20 juillet – Vu Renfield très tôt, avant le passage du surveillant dans les chambres. Je cherchai des yeux ses moineaux et, ne les voyant pas, lui demandai où ils étaient. Il me répondit sans tourner la tête qu'ils s'étaient envolés. Il y avait quelques plumes par terre et, sur son oreiller, une tache de sang. Je ne fis aucune remarque, mais, en sortant, je dis au gardien de venir m'avertir s'il se passait quelque chose d'anormal au cours de la journée.

11 h du matin – On me dit à l'instant que Renfield a été très malade, qu'il a vomi un tas de plumes.

– Je crois, docteur, ajoute le surveillant, qu'il a mangé ses moineaux tout vivants !

11 h du soir – Je vais devoir le classer dans une catégorie qui n'existe pas encore, l'appeler un maniaque zoophage qui ne veut se nourrir que d'êtres vivants ; son obsession, c'est d'engloutir autant de vies qu'il peut. Il a donné à manger à une araignée des mouches sans nombre, à un oiseau des araignées sans nombre, puis il aurait voulu avoir un chat pour lui donner à manger tous ses oiseaux. Qu'aurait-il fait ensuite ? On souhaiterait presque aller jusqu'au bout de l'expérience.

En ce qui me concerne, il me semble que c'est hier seulement que ma vie tout entière a sombré en même temps que mon espoir et que, vraiment, j'ai recommencé à zéro. Oh ! Lucy, Lucy ! Il m'est impossible de vous en vouloir, ni d'en vouloir à mon ami qui partage votre bonheur. Mais je ne dois plus m'attendre qu'à une existence sans espoir, où seul importera mon travail. Oui, travailler, travailler, travailler !

Journal de Mina Murray

26 juillet – Je suis de plus en plus inquiète, et écrire me soulage un peu ; c'est comme si l'on se parlait à soi-même et s'écoutait tout à la fois. Je suis inquiète au sujet de Lucy comme au sujet de Jonathan. Il y a quelque temps que j'étais sans nouvelles de lui, mais, hier, le cher Mr. Hawkins, qui est toujours si aimable, m'a envoyé une lettre qu'il avait reçue de lui. Quelques lignes seulement, envoyées du château Dracula, annonçant son départ. Cela ressemble si peu à Jonathan ! Je ne comprends pas ce qui se passe… Quant à Lucy, elle est de nouveau en proie à des crises de somnambulisme. Sa mère m'en a parlé, et nous avons décidé que, dorénavant, la nuit, je fermerais à clef la porte de notre chambre.

Mr. Holmwood – l'Honorable Arthur Holmwood, fils unique de lord Godalming – doit arriver bientôt, aussitôt qu'il pourra quitter la ville, car son père est malade ; Lucy compte les jours, les heures…

27 juillet – Rien encore de Jonathan… Lucy se lève de plus en plus souvent, la nuit, et chaque fois, je m'éveille quand je l'entends marcher dans la chambre. Le fait de passer des nuits à peu près blanches commence à me rendre très nerveuse à mon tour.

3 août – Une autre semaine passée encore, et pas de lettre de Jonathan ! Je reprends sa dernière lettre, et il me vient un doute. Je ne le reconnais pas dans ce qu'il dit, et pourtant c'est son écriture, il n'y a pas à s'y tromper ! Mais voici le vieux marin, Mr. Swales, et je comprends qu'il désire me parler...

Le pauvre homme a bien changé depuis quelques jours, j'en ai été frappée. À peine assis à côté de moi, il m'a dit très doucement :

– Il y a dans ce vent et dans ce brouillard quelque chose qui ressemble à la mort, qui sent la mort ! Elle est dans l'air ! Elle arrive, elle arrive, je le sais...

Avec dévotion, il leva les bras au ciel, puis se découvrit. Ses lèvres remuaient comme s'il priait. Après quelques moments de silence, il se leva, me serra les mains, puis, après m'avoir bénie, me dit au revoir et s'en alla de son pas pénible. Je restai assez bouleversée ; aussi fus-je bien aise de voir arriver le garde-côte portant sa longue-vue sous le bras. Selon son habitude, il s'arrêta pour me dire quelques mots, sans cesser toutefois de regarder au large un bateau qui paraissait en difficulté.

– Un bateau étranger, assurément, fit-il. Russe, on dirait... Mais il a une façon assez bizarre de se diriger, pas vrai ? Comme s'il ne savait pas ce qu'il veut... Regardez-le donc ! On dirait vraiment que personne ne tient le gouvernail !

VII

Coupure du *Dailygraph* collée dans le journal de Mina Murray

(D'un de nos correspondants)

Whitby, 8 août – Une des tempêtes les plus formidables et les plus soudaines que l'on ait jamais vues vient d'avoir des conséquences également extraordinaires. Le vent soufflait du sud-ouest, et un vieux pêcheur, qui, depuis plus de cinquante ans, surveille les signes qui présagent le temps, annonça qu'une brusque tempête allait se lever. Le seul bateau que l'on distinguait assez nettement était une goélette étrangère qui, toutes voiles déployées, semblait se diriger vers l'ouest. Les douze coups de minuit avaient sonné depuis quelques instants à peine, qu'un bruit singulier se fit entendre, comme venant du large et se rapprochant de plus en plus, en même temps qu'un roulement encore sourd grondait au-dessus des nuages.

Alors, d'un coup, la tempête se déchaîna. Peu de temps se passa avant que les projecteurs ne découvrent, à quelque distance vers le large, la goélette, toutes voiles déployées. Les gens de mer qui se trouvaient sur la falaise frémirent en comprenant le terrible danger que ce bateau courait. Soudain, le vent tourna au nord-est et dissipa le brouillard; alors, chose presque incroyable, la goélette étrangère passa entre les deux môles en sautant de vague en vague dans sa course rapide et vint se mettre à l'abri dans le port. Les rayons du projecteur ne la quittaient pas, et quelle ne fût pas l'horreur ressentie par la foule quand elle aperçut, attaché au gouvernail, un cadavre dont la tête pendait et qui vacillait d'un côté puis de l'autre selon les mouvements du bateau ? On ne voyait sur le pont aucune autre forme humaine. Un grand cri de terreur stupéfaite s'éleva quand les gens comprirent que la goélette était entrée dans le port comme par miracle : la main d'un mort tenait le gouvernail ! Cependant, la goélette continua sa course plus avant dans le port pour aller s'échouer sur un tas de sable et de gravier accumulés par les marées montantes et les tempêtes dans le coin sud-est, près de la jetée que l'on appelle dans le pays la Tate Hill Pier.

Chose inattendue, à l'instant même où la proue touchait le sable, un énorme chien surgit de la cale, sauta sur le pont, puis du pont se précipita sur le rivage. Il disparut dans la nuit, qui paraissait plus noire encore au-delà des rayons du projecteur.

Le garde-côte qui était de service fut le premier à monter à bord. On le vit courir à l'arrière, se pencher sur le gouvernail pour l'examiner, mais reculer tout aussitôt, comme en proie à un émoi insurmontable. Comme correspondant du *Dailygraph*, on me permit d'avancer jusque sur le pont et je partageai, avec quelques rares personnes, le lugubre privilège de voir de tout près le cadavre attaché à la roue du gouvernail.

L'homme était maintenu à un rayon de la roue par les mains, liées l'une sur l'autre. Entre la paume de sa main et le bois, on avait glissé un crucifix. Le chapelet auquel il appartenait entourait à la fois les deux mains et le rayon du gouvernail ; le tout consolidé par des cordages. On fit un rapport détaillé de l'événement, et un médecin, qui arriva immédiatement après moi, déclara après examen que la mort datait de deux jours déjà. Dans une des poches, on trouva une bouteille soigneusement bouchée et ne contenant qu'un petit rouleau de feuilles de papier sur lesquelles était consigné un complément au journal de bord. Selon le garde-côte, l'homme avait dû se lier lui-même les mains, serrant les nœuds à l'aide de ses dents. Il est inutile d'ajouter qu'on a retiré le malheureux de son poste et qu'on l'a porté à la morgue en attendant l'enquête.

Whitby, 9 août – Les conséquences de l'arrivée inattendue de ce bateau étranger, pendant la tempête de la nuit dernière, sont presque plus étonnantes que le fait lui-même. On sait à présent que ce petit bâtiment est russe, qu'il vient de Varna et qu'il s'appelle la *Demeter*. Il est presque entièrement lesté de sable, n'ayant qu'une cargaison peu importante – des caisses remplies de terreau – expédiée à l'adresse d'un notaire de Whitby, Mr. S. F. Billington, 7, The Crescent, qui, dès ce matin, est venu à bord prendre réglementairement possession des marchandises qu'on lui envoyait.

De bonne heure, ce matin, un grand chien, appartenant à un marchand de charbon qui habite près du port, a été trouvé mort sur la route, juste en face de la maison de son maître. Visiblement, il s'était battu contre un adversaire puissant et cruel, car il avait la gorge véritablement déchirée et le ventre ouvert comme par des griffes sauvages.

Quelques heures plus tard – Le rouleau de feuilles de papier trouvé dans la bouteille et que l'on a produit aujourd'hui à l'enquête offre le plus haut intérêt ; pour ma part, je n'ai jamais eu connaissance d'un récit plus étrange. On m'a permis de le transcrire ici à l'intention de mes lecteurs. On devra se rappeler que j'écris sous la dictée d'un secrétaire du consul de Russie, qui me traduit le texte.

Journal de bord de la *Demeter* de Varna à Whitby

Des événements si extraordinaires ont eu lieu jusqu'à ce jour, 18 juillet, que je veux désormais tenir un journal jusqu'à notre arrivée à Whitby.

Le 6 juillet, nous avons terminé le chargement du bateau : sable et caisses remplies de terre. À midi, nous prenions la mer. Le 13 juillet, nous arrivions au cap Matapan. L'équipage semblait mécontent, on eût dit que les hommes avaient peur de quelque chose. Le 14, je commençai à être assez inquiet à leur sujet. Mon second ne comprenait pas plus que moi ce qui se passait ; les hommes lui dirent seulement, en se signant, qu'*il y avait quelque chose.* Le 16 au matin, le second vint me dire que l'un des hommes, Petrofsky, manquait. Chose inexplicable. Il a pris le quart à bâbord à huit heures, hier soir, puis a été relevé par Abramoff; mais on ne l'a pas vu qui allait se coucher.

24 juillet – Décidément, la malédiction nous poursuit. Un homme déjà manquait et, en entrant dans la baie de Biscay, hier soir, nous nous sommes aperçus qu'un autre avait disparu. De nouveau, c'est la panique générale ; les hommes font leur quart deux par deux, car ils ne veulent plus se trouver seuls. Le second s'est mis en colère. Je crains quelque éclat, soit de sa part, soit de la part de l'équipage.

29 juillet – Autre tragédie. Cette nuit, un seul homme à la fois a pris le quart, étant donné leur fatigue à tous. Quand le matelot qui devait le remplacer le matin est monté sur le pont, il n'y a trouvé personne, excepté l'homme à la barre. Nous n'avons plus de lieutenant. Nouvel affolement de l'équipage. Avec le second, j'ai décidé de nous armer et d'attendre les événements... Nous ne sommes plus que quatre à bord : moi, le second et deux matelots.

1er août – Le second est maintenant plus découragé

qu'aucun des deux matelots. Les deux hommes, eux, ne songent même plus à avoir peur ; ils continuent simplement à travailler avec patience, s'attendant au pire. Ils sont russes, le second est roumain.

3 août – À minuit, j'ai voulu aller relever l'homme qui tenait la barre, mais quelle ne fut pas ma stupeur ! Personne n'était au gouvernail ! J'appelai le second, qui apparut presque aussitôt. Il avait l'œil hagard, l'air véritablement affolé, et je craignis qu'il ne fût en train de perdre la raison. S'approchant de moi, il me parla à l'oreille comme s'il craignait que le vent lui-même l'entendît :

– La chose est ici, j'en suis sûr. La nuit dernière, je l'ai vue : ça ressemble à un homme grand et mince, affreusement pâle. Il était à la proue et regardait vers le large. Il est ici et je le trouverai. Dans la cale, peut-être dans une de ces caisses...

Le vent se faisait de plus en plus fort, et je ne pouvais pas quitter le gouvernail. À l'instant même où je commençais à espérer que le second se calmerait (car je l'avais entendu, dans la cale, donner des coups de marteau), un brusque cri d'épouvante me parvint par l'écoutille, et notre homme fut projeté de la cale sur le pont tel un boulet de canon ; mais c'était un fou furieux, les yeux égarés et le visage convulsé par la terreur.

– Au secours ! Au secours ! criait-il en promenant ses regards sur le mur de brouillard.

Puis, sa frayeur faisant place à un sentiment de désespoir, il sauta par-dessus bord, se jeta à l'eau.

C'est sans doute ce malheureux devenu fou qui s'est débarrassé de tous les hommes, l'un après l'autre, et, à présent, lui-même a voulu les suivre. Que Dieu me vienne en aide ! Comment expliquerai-je de telles horreurs quand j'arriverai au port ? Arriverai-je jamais au port ?

4 août – Toujours ce brouillard que le lever du soleil ne parvient pas à percer. Si je n'étais pas un marin, je ne saurais même pas que c'est le lever du soleil. Je n'ai osé ni descendre dans la cale, ni quitter le gouvernail ; je suis donc resté ici toute la nuit et, dans l'obscurité, j'ai aperçu *la chose*, je l'ai aperçu, *lui* ! Que Dieu me pardonne, le second a eu raison de se jeter dans la mer. Mais, moi, je suis le capitaine et je ne peux pas abandonner mon bateau. Mais je saurai déjouer les plans de ce démon, de ce monstre : quand je sentirai que mes forces diminuent, je me lierai les mains à la roue du gouvernail et j'y lierai aussi ce que… ce qu'il n'osera pas toucher ; alors, que le vent soit favorable ou non, je sauverai mon âme et mon honneur de capitaine !…

Journal de Mina Murray

10 août – Les funérailles du pauvre capitaine, aujourd'hui, furent fort émouvantes. Le cercueil fut porté par des officiers de marine depuis la Tate Hill Pier jusqu'au cimetière. Lucy m'accompagnait. La pauvre semblait fort émue, comme en proie même à une sorte d'angoisse; à mon avis, les nuits agitées qu'elle passe et les rêves qu'elle doit faire nuisent à sa santé. Peut-être aujourd'hui son inquiétude est-elle encore plus vive du fait que le pauvre Mr. Swales a été trouvé mort, ce matin, le cou tranché. Il est certain, comme l'a dit le docteur, que, avant de tomber, une terreur inexplicable l'avait saisi, car l'horreur était encore marquée sur son visage au moment où on l'a relevé. Le malheureux vieillard! N'a-t-il pas vu la mort approcher?...

VIII

Journal de Mina Murray

11 août, 3 h du matin – Je reprends mon journal. Ne trouvant plus le sommeil, je préfère écrire. Comment pourrais-je dormir après cette aventure épouvantable ?...

Je m'étais endormie. Soudain, je me réveillai en sursaut, et ne sachant pourquoi. J'avais l'impression que j'étais seule dans la chambre ; celle-ci était si obscure que je ne distinguais même plus le lit de Lucy. Je m'en approchai à tâtons, pour m'apercevoir qu'il était vide. Plus de Lucy ! Je ne voulais pas réveiller Mrs. Westenra qui venait d'être assez souffrante, et je m'habillai plutôt à la hâte pour aller à la recherche de sa fille. Une heure sonnait quand j'arrivai à Crescent ; pas une âme en vue. Arrivée au bord de la falaise ouest qui surplombe le pont, j'examinai la falaise est et fus emplie d'espoir ou d'effroi – je l'ignore moi-même – en voyant Lucy. J'eus l'impression que quelque chose de sombre se tenait penché sur la blanche silhouette. Était-ce un homme ou une bête, je n'aurais pu le dire. Je dégringolai jusqu'au port, longeai le marché aux poissons, car c'était la seule route qui menait à la falaise est. Quand enfin j'eus atteint mon but, j'aperçus le banc et la silhouette blanche qui s'y trouvait ; il y avait comme une créature longue et noire penchée vers mon amie. Je criai aussitôt: «Lucy! Lucy!» et je vis se relever une tête en même temps que j'apercevais un visage blême dont les yeux flamboyaient.

Lucy ne me répondit pas, et je courus alors jusqu'à l'entrée du cimetière. L'église, maintenant, me cachait le banc, de sorte que, l'espace de quelques instants, je ne vis plus Lucy. Je contournai l'église; le clair de lune me permit enfin de voir nettement Lucy à demi cachée, la tête appuyée contre le dossier du banc. Elle était absolument seule – il n'y avait, auprès du banc, pas la moindre trace d'un être vivant.

Quand je me penchai sur elle, je m'aperçus qu'elle était encore profondément endormie. J'entourai ses épaules d'un châle de laine et, comme je craignais de la réveiller trop brusquement, j'attachai le châle autour de sa gorge au moyen d'une grosse épingle de nourrice, afin d'avoir moi-même les mains libres pour pouvoir l'aider; mais peut-être la piquai-je légèrement, car elle porta la main à la gorge et se mit à gémir. Peu à peu cependant, son sommeil se fit plus léger. Comme il me semblait qu'il était grand temps de la ramener à l'hôtel, je la secouai un peu plus brusquement; enfin, elle ouvrit les yeux, s'éveilla. Elle trembla un peu, se serra contre moi et, quand je lui dis: «Reviens immédiatement avec moi», elle se leva sans un mot, obéissante comme une enfant. Nous nous mîmes en route. Dès que nous fûmes rentrées, je la fourrai dans son lit. Avant de se rendormir, elle me demanda, me supplia de ne rien raconter à personne, pas même à sa mère. J'ai fermé la porte à clef, et je garde la clef liée à mon poignet. Sans doute ne serai-je plus dérangée. Lucy dort profondément. L'aube, déjà, se lève sur la mer…

Même jour, midi – Tout va bien. Lucy a dormi jusqu'à ce que je l'éveille. Seulement, je suis navrée d'avoir été maladroite au point de la blesser en fermant l'épingle de nourrice. Je m'aperçois que cela aurait pu être grave, car la peau de la gorge a été percée à deux endroits différents, et il y a une tache de sang sur le ruban de sa chemise de nuit.

13 août – Encore une journée paisible, et, le soir, je me suis à nouveau couchée, la clef attachée à mon poignet. Lorsque, dans la nuit, je me suis réveillée, Lucy, endormie, était assise dans son lit et, du doigt, montrait la fenêtre. Il faisait un beau clair de lune. Une grande chauve-souris passait et repassait en décrivant de larges cercles. Elle s'envola vers le port.

15 août – Nous nous sommes levées plus tard que d'habitude. Heureuse surprise, au petit déjeuner : le père d'Arthur va mieux et voudrait que le mariage ait lieu le plus tôt possible. Lucy rayonne de joie ; quant à sa mère, elle est heureuse et triste tout ensemble. Elle a beaucoup de chagrin à la pensée de devoir se séparer de Lucy, mais elle se réjouit que sa fille ait bientôt un mari qui veillera sur elle.

17 août – Je n'ai pas écrit une seule ligne depuis deux jours; je n'en avais pas le courage... Je n'ai aucune nouvelle de Jonathan, et Lucy me paraît de plus en plus faible. Je n'y comprends rien. Elle mange bien, passe de bonnes nuits, ainsi que de longues journées au grand air. Cependant, elle devient de plus en plus pâle et, la nuit, je l'entends qui respire avec difficulté. J'espère que ses malaises ne proviennent pas de cette piqûre d'épingle. Je viens, pendant qu'elle dort, d'examiner sa gorge ; les deux petites blessures ne sont pas encore guéries.

Lettre de Samuel F. Billington & Fils, notaires à Whitby, à Messrs. Carter, Paterson & Co., à Londres

« *1er août.*

« *Messieurs,*

« *Nous avons l'avantage de vous annoncer l'arrivée des marchandises envoyées par les Chemins de fer du Grand Nord. Elles seront livrées à Carfax, près de Purfleet, dès leur arrivée à la gare de marchandises de King's Cross. La maison est inoccupée en ce moment, mais vous trouverez, jointes à l'envoi, les clefs qui toutes portent une étiquette.*

« *En espérant que vous ne nous jugerez pas trop exigeants dans cette affaire si nous vous prions encore de faire diligence, nous vous restons, Messieurs,*

« *Sincèrement dévoués,*

« *Samuel F. Billington & Fils.* »

Lettre de Messrs. Carter, Paterson & Co., Londres, à Messrs. Billington & Fils, à Whitby

« *21 août.*

« *Messieurs,*

« *Les caisses ont été livrées selon vos instructions et les clefs, liées les unes aux autres, laissées dans le corridor.*

« *Veuillez croire, Messieurs, à nos sentiments respectueux.*

« *Pour Carter, Paterson & Co.* »

Journal de Mina Murray

18 août – Lucy va beaucoup mieux aujourd'hui. La nuit dernière, elle ne s'est pas réveillée une seule fois. Encore qu'elle soit très pâle et paraisse bien faible, ses joues reprennent cependant un peu de couleur…

19 août – Que je suis heureuse ! Enfin, j'ai des nouvelles de Jonathan ! Le pauvre, il a été malade. C'est pourquoi il est resté si longtemps sans écrire. Mr. Hawkins m'a transmis la lettre que lui a adressée la religieuse qui soigne Jonathan, et lui-même m'a écrit un mot fort aimable, comme toujours. Dès demain, je pars pour aller le retrouver ; si cela est nécessaire, j'aiderai à le soigner, puis nous reviendrons ensemble en Angleterre.

Journal du Dr. Seward

19 août – Changement soudain et bizarre chez Renfield, hier soir. Vers huit heures, il est devenu fort excité et s'est mis à renifler comme un chien lorsqu'il tombe en arrêt. Le surveillant voulut le faire parler. Il lui a seulement dit :

– Je ne veux pas vous parler : vous n'existez plus pour moi. Le Maître est près d'ici.

Un homme aussi robuste que lui, s'il est atteint de folie à la fois mystique et homicide, peut devenir dangereux.

Je suis très fatigué, ce soir, et fort abattu. La pensée de Lucy m'obsède continuellement, et je ne puis m'empêcher de me dire à chaque instant que tout aurait pu être différent ! J'étais à me retourner dans mon lit et je venais d'entendre sonner deux heures quand le veilleur de nuit frappa à ma porte : Renfield s'était échappé ! Je m'habillai en toute hâte et descendis. Le surveillant me dit que le fugitif avait pris vers la gauche. Je courus dans cette direction, aussi vite que je pus. Lorsque j'arrivai près des arbres, j'aperçus une silhouette blanche qui escaladait le haut mur séparant notre parc de celui de la maison voisine inhabitée.

Toujours en courant, je revins dire au veilleur de nuit d'appeler immédiatement trois ou quatre hommes afin de venir avec moi à Carfax ; au cas où Renfield deviendrait dangereux, nous devions être plusieurs si nous voulions tenter de le ramener. Je pris une échelle et, montant à mon tour sur le mur, je me laissai tomber de l'autre côté. Au même moment, je vis Renfield disparaître derrière la maison et courus pour le rattraper. Arrivé de l'autre côté de la maison, je le trouvai qui s'appuyait de toute sa force contre la vieille porte de chêne de la chapelle. Apparemment, il parlait à quelqu'un :

– Je suis à vos ordres, Maître. Je suis votre esclave et je sais que vous me récompenserez, car je serai fidèle.

Lorsque nous l'entourâmes et voulûmes le saisir, il se débattit comme un tigre. Jamais encore je n'avais vu un aliéné pris d'une telle fureur, et j'espère que c'est la dernière fois ! Je n'ose pas penser à ce qu'il aurait pu commettre si nous ne l'avions pas repris ! Maintenant, en tout cas, il est en lieu sûr, en camisole de force et attaché par des chaînes au mur du cabanon.

IX

Lettre de Mina Harker à Lucy Westenra

« *Budapest, 24 août.*

« *Ma très chère Lucy,*

« *Je sais que tu es impatiente d'apprendre tout ce qui s'est passé depuis que nous nous sommes quittées à la gare de Whitby. Eh bien ! arrivée à Hull, je pris le bateau pour Hambourg et, là, le train qui m'a amenée ici. Je trouvai un Jonathan maigre, pâle et apparemment dans un grand état de faiblesse. Il a reçu un choc vraiment terrible. Sœur Agatha, excellente créature et infirmière née, me répète que, dans son délire, il a parlé de choses absolument effrayantes. Éveillé, il prit son calepin. Quand je me suis approchée de son lit, la main posée sur son calepin, il me dit d'un ton très grave :*

« *– Wilhelmina, ma chérie, lorsque j'essaie de comprendre ce qui m'est arrivé, une sorte de vertige me gagne, de sorte que je ne sais plus si cela s'est réellement passé ou si ce n'était qu'un rêve. Le secret de ce qui m'est arrivé est enfermé dans ces pages, mais je ne veux pas le connaître. Je veux que ma vie, avec notre mariage, reparte de zéro. (Car, ma chère, nous allons nous marier ici, dès que toutes les formalités seront remplies.) Veux-tu, Wilhelmina, partager mon ignorance ? Voici mon calepin. Prends-le, garde-le et, si tu en as envie, lis tout ce que j'y ai écrit, mais ne m'en parle jamais, je ne veux pas me souvenir de cette période…*

« Il retomba, épuisé ; en l'embrassant, je glissai le petit carnet sous son oreiller. Sœur Agatha a bien voulu aller de ma part chez la mère supérieure pour la prier de faire en sorte que notre mariage ait lieu cet après-midi.

« Au revoir, ma chérie. Je dois te quitter, car Jonathan s'éveille… Il faut que je demande à mon mari s'il n'a besoin de rien…

« Ton amie de toujours,
« Mina Harker. »

Lucy Westenra à Mina Harker

« Whitby, 30 août.

« Ma très chère Mina,

« Des océans d'amitié, des millions de baisers, et que tu sois bientôt chez toi dans ta maison, avec ton mari ! Si vous pouviez revenir assez tôt encore en Angleterre, vous viendriez passer quelques jours ici, à Whitby. L'air vif ferait le plus grand bien à Jonathan ; pour moi, il m'a complètement remise ; j'ai un appétit d'ogre, je me sens pleine de vitalité, et je dors très bien. Arthur prétend que j'ai grossi. À propos, j'oublie de te dire qu'Arthur est ici. Je l'aime plus que jamais. Le voilà qui m'appelle… Aussi je te quitte.

« Toute l'amitié de ta Lucy.

« P.-S. Nous nous marions le 28 septembre. »

Journal du Dr. Seward

22 août – Le cas de Renfield devient de plus en plus intéressant. Il a maintenant de longues périodes de calme. Il me faut trouver la raison de ces répits qui suivent régulièrement les crises. Peut-être notre homme est-il sujet à quelque influence.

23 août – Une chose est prouvée : les périodes de calme durent quelque temps. Désormais, nous le laisserons libre quelques heures chaque jour. J'ai dit au surveillant de nuit de ne le mettre au cabanon, quand il est paisible, qu'une heure seulement avant le lever du soleil. Il jouira physiquement de cette liberté relative, même si son esprit est incapable de l'apprécier. Mais on m'appelle !... De nouveau, ce à quoi je ne m'attendais pas : le malade s'est échappé.

Même jour, un peu plus tard – Renfield a attendu que le surveillant soit entré dans la chambre, puis il a profité d'un moment où l'autre était occupé pour se précipiter dans le corridor. Comme la première fois, il s'est dirigé vers la maison inhabitée et nous l'avons encore trouvé appuyé contre la porte de la vieille chapelle. Quand il m'a vu accompagné du gardien, il s'est mis dans une colère extrême, et si mes hommes ne l'avaient pas empoigné à temps, je crois qu'il aurait tenté de me tuer. Tandis que nous le tenions, soudain il est encore devenu plus violent, mais, presque aussitôt, il s'est calmé ; cela me parut fort étrange et, instinctivement, j'ai suivi ses regards; je n'ai rien pu distinguer dans le ciel où la lune brillait, si ce n'est une grosse chauve-souris qui volait vers l'ouest, silencieuse et pareille à un fantôme.

Journal de Lucy Westenra

Hillingham, 24 août – Comme Mina, je vais tenir un journal. Puis, lorsque nous serons à nouveau ensemble, nous parlerons longuement de tout ce que j'aurai noté ici. La nuit dernière, j'ai eu l'impression de refaire les rêves que je faisais à Whitby; peut-être est-ce à cause du changement d'air, ou parce que je suis revenue à la maison... Je me demande s'il ne me serait pas possible de partager la chambre de maman, cette nuit. J'y dormirais tranquille. Je trouverai un prétexte pour le lui demander.

25 août – Encore une mauvaise nuit. Ma proposition n'a pas semblé plaire à maman. Elle-même n'est pas très bien, et sans doute craint-elle de m'importuner souvent si nous dormons dans la même chambre. J'ai donc essayé de ne pas céder au sommeil et j'y ai réussi quelque temps, mais les douze coups de minuit m'éveillèrent: je m'étais donc endormie malgré tout! Il me sembla qu'on grattait à la fenêtre, ou bien était-ce plutôt un battement d'ailes? Mais je n'y pris point garde et, comme je ne me souviens de rien d'autre, je suppose que je me rendormis aussitôt. De nouveaux cauchemars. Si je pouvais me les rappeler... Ce matin encore, je suis horriblement faible ! Mon visage est d'une pâleur effrayante, et j'ai mal à la gorge…

Arthur Holmwood au Dr. Seward

« *Albemarle Hotel, 31 août.*

« *Mon cher Jack,*

« *Je voudrais vous demander un service. Lucy est malade, non pas d'une maladie bien précise, mais elle a très mauvaise mine, et son état empire de jour en jour. Je lui ai demandé à elle-même de quoi elle souffrait, et non pas à sa mère, car il serait fatal pour la pauvre dame de l'inquiéter au sujet de Lucy. Mrs. Westenra m'a confié qu'elle n'avait plus longtemps à vivre, mais que Lucy n'en sait rien encore.*

« *Je lui ai dit que je vous demanderais de venir la voir et, finalement, elle y a consenti. Ce sera bien pénible pour vous, mon vieil ami, je le sais, mais il s'agit de sa santé – n'est-ce pas ? – et nous ne devons pas hésiter à agir. Voulez-vous venir déjeuner demain à deux heures à Hillingham ? Encore une fois, je suis fou d'inquiétude et j'ai hâte de savoir ce que vous penserez de son état. Venez sans faute !*

« *Arthur.* »

Télégramme d'Arthur Holmwood au Dr. Seward

« *1er septembre – Appelé au chevet de père, plus mal. Lettre suit. Écrivez-moi longuement, ce soir, à Ring. Télégraphiez si nécessaire.*

« *Art.* »

Lettre du Dr. Seward à Arthur Holmwood

« 2 septembre.

« Mon vieil ami,

« Laissez-moi vous dire tout de suite que, selon moi, miss Westenra n'est atteinte d'aucun trouble fonctionnel, d'aucune maladie. Pourtant, j'ai été terriblement frappé au moment où je l'ai revue. Elle n'est plus du tout ce qu'elle était à notre dernière rencontre.

« Quand je suis arrivé à Hillingham, miss Westenra m'a paru d'une humeur enjouée. Sa mère se trouvait près d'elle, et il ne m'a pas fallu longtemps pour comprendre qu'elle faisait l'impossible pour dissimuler son véritable état afin de ne pas l'inquiéter. Puis, Mrs. Westenra monta se reposer, et je restai seul avec Lucy. Aussitôt la porte refermée, elle laissa tomber le masque et, s'affalant dans un fauteuil, elle soupira et de la main se couvrit les yeux. Je lui demandai alors de quoi elle souffrait.

« – Si vous saviez comme j'aime peu parler de moi ! s'écria-t-elle.

« Je vis tout de suite qu'elle était anémique, quoiqu'elle ne présente aucun des signes propres à cette maladie. De plus, par un heureux hasard, je pus examiner la qualité de son sang, car, un moment après, elle se blessa légèrement à la main en ouvrant la fenêtre. Rien de grave, bien sûr, mais j'eus ainsi l'occasion de recueillir quelques gouttes de sang que j'ai ensuite analysées. Cette analyse donne un très bon résultat. D'autre part, je ne vois aucun symptôme inquié-

tant. Néanmoins, comme cet état anémique est évidemment le résultat d'une cause bien déterminée, je conclus que cette cause doit être d'ordre mental. Miss Westenra se plaint d'une certaine difficulté à respirer, d'un sommeil lourd, comme léthargique, souvent accompagné d'affreux cauchemars dont, pourtant, sa mémoire ne garde pas le détail. Comme je ne sais trop ce qu'il faut penser de tout cela, j'ai fait ce qu'il me semblait le plus indiqué : j'ai écrit à mon vieil ami et maître, le professeur Van Helsing, d'Amsterdam, grand spécialiste des maladies de ce genre. Je lui ai demandé de venir toutes affaires cessantes. Et je reverrai demain miss Westenra, mais pas chez elle, car je ne voudrais pas inquiéter sa mère par des visites trop fréquentes.

« Bien à vous,
« John Seward. »

Abraham Van Helsing au Dr. Seward

« 2 septembre.

« Mon cher ami,
« Je reçois votre lettre, et j'arrive ! Ayez la bonté de me retenir un appartement au Grand Hôtel de l'Est, proche de la demeure de notre malade, et prévenez la jeune demoiselle que nous la verrons demain matin. Au revoir, mon ami !

« Van Helsing. »

Dr. Seward à l'Honorable Arthur Holmwood

« 3 septembre.

« Mon cher Art,

« Van Helsing est venu et reparti. Il m'a accompagné à Hillingham. Mrs. Westenra déjeunant dehors, nous fûmes donc seuls avec Lucy. Van Helsing l'a examinée très sérieusement. Il doit me faire part de son diagnostic, car, naturellement, je n'ai pas assisté à tout l'examen. Je crois, toutefois, qu'il est inquiet, mais il m'a dit qu'il devait d'abord beaucoup réfléchir et chercher. Je recevrai vraisemblablement son rapport demain ; en tout cas, j'attends une lettre.

« J'espère que votre père va mieux. Je me mets à votre place : cela doit être terrible de savoir en danger les deux êtres qui vous sont les plus chers au monde !

« John Seward. »

Journal du Dr. Seward

4 septembre – Notre malade zoophage est de plus en plus intéressant à observer. Il n'a plus eu qu'une seule crise, hier à midi. Un peu avant que sonnent les douze coups, il entra dans une telle fureur que les hommes n'eurent pas trop de toutes leurs forces pour le maintenir. Au bout de cinq minutes, toutefois, il commença à se calmer et, finalement, tomba dans un état de mélancolie qui dure encore. Le surveillant me dit que, au paroxysme de la crise, il poussait des cris effrayants.

Un peu plus tard – Autre changement chez mon malade. À cinq heures, je suis retourné le voir. Il attrapait des mouches et les mangeait. Un instant, il parut très triste et dit alors tout bas :

– C'est fini ! Il m'a abandonné ! Maintenant, je ne dois plus rien espérer, à moins d'agir moi-même.

Minuit – Nouveau changement chez Renfield. Je revenais de chez miss Westenra, que j'avais trouvée beaucoup mieux, et je l'entendis qui hurlait à nouveau. J'arrivai dans sa chambre au moment même où, de sa fenêtre, je pus voir le soleil sombrant derrière l'horizon. À l'instant précis où le disque rouge disparut, il tomba, telle une masse inerte, sur le plancher. Il est étonnant de voir à quel point nos malades peuvent soudain recouvrer la raison (même si ce n'est que passagèrement), car, en l'espace de quelques minutes, celui-ci se releva très tranquillement et regarda autour de lui. Que ne puis-je, vraiment, saisir la cause de ses crises ! Peut-être en trouverions-nous la véritable raison si nous savions pourquoi, aujourd'hui, sa fureur a atteint un point extrême à midi juste, puis au soleil couchant.

Télégramme du Dr. Seward, Londres,
au Pr. Van Helsing, Amsterdam

« 4 septembre – Malade beaucoup mieux aujourd'hui. »

Télégramme du Dr. Seward, Londres, au Pr. Van Helsing, Amsterdam

« 6 septembre – Sérieuse aggravation. Venez immédiatement, sans perdre une heure. »

X

Lettre du Dr. Seward à l'Honorable Arthur Holmwood

« 6 septembre.

« Mon cher Art,

« Les nouvelles, aujourd'hui, ne sont plus aussi bonnes. L'état de santé de Lucy s'est un peu aggravé. Mrs. Westenra m'a demandé ce que je pensais de la situation ; j'en ai profité pour lui dire que mon vieux maître, le professeur Van Helsing, venait passer quelques jours chez moi et que j'allais lui demander d'examiner et de soigner Lucy.

« Bien à vous,

« John Seward. »

Journal du Dr. Seward

7 *septembre* – On nous introduisit, Van Helsing et moi, dans la chambre de Lucy. Si, en la voyant hier, j'avais été péniblement frappé, aujourd'hui j'éprouvai bel et bien de l'horreur. Elle avait un teint de craie, et ses lèvres mêmes, ses gencives semblaient exsangues.

Van Helsing me fit un léger signe de la tête, et nous sortîmes de la chambre sur la pointe des pieds. Dès la porte refermée, nous pressâmes le pas pour gagner la chambre voisine, et là, aussitôt, le professeur dit :

– C'est terrible. Il n'y a pas une minute à perdre. Elle va mourir, faute de sang. Il faut tout de suite faire une transfusion. Qui de nous deux ?...

– Je suis le plus jeune et le plus fort, professeur. Ce sera donc moi.

– Alors, tout de suite ! Préparez-vous ! Je vais chercher ma trousse.

Je descendis avec lui, et comme nous arrivions au bas de l'escalier, on frappa à la porte d'entrée. La bonne ouvrit : c'était Arthur. Le professeur lui dit :

– Vous arrivez à temps, monsieur. Vous êtes le fiancé de notre chère demoiselle, n'est-ce pas ? Vous allez l'aider. Vous conviendrez beaucoup mieux que moi, beaucoup mieux que mon ami John.

Arthur, évidemment, ne saisissait pas le sens de ces paroles, et le professeur lui expliqua doucement :

– Oui, la jeune demoiselle est très mal. Il ne lui reste pour ainsi dire plus de sang, et nous devons lui en rendre, ou elle mourra. Vous êtes le plus fort de nous trois, notre sang n'est certainement pas aussi rouge que celui qui coule dans vos veines !

Nous montâmes tous les trois, mais le professeur ne voulut pas qu'Arthur entrât dans la chambre en même temps que nous. Il attendit sur le palier. Lucy ne dormait pas. Van Helsing ouvrit sa trousse, y prit certaines choses qu'il posa sur une petite table que la malade ne pouvait voir. Il prépara un narcotique, puis revint au chevet de Lucy.

– Allons, petite demoiselle, fit-il gaiement, vous

allez prendre ce médicament ! Buvez bien tout ce qu'il y a dans le verre. Voilà... C'est parfait !

Dès que le narcotique eut produit son effet, Van Helsing fit entrer Arthur dans la chambre et le pria d'ôter son veston.

– Et maintenant, ajouta-t-il, vous pouvez l'embrasser ; je vais amener la table près du lit. Mon ami John, aidez-moi !

Alors, avec des gestes rapides, mais précis, il commença la transfusion ; peu à peu, la vie sembla de nouveau animer les joues de Lucy tandis que le visage d'Arthur, de plus en plus pâle, rayonnait de joie. Le professeur demeurait grave tandis que, montre en main, son regard se posait tantôt sur la malade, tantôt sur Arthur. Pour moi, j'entendais battre mon cœur. Van Helsing me dit alors :

– Cela suffit. Maintenant, occupez-vous de lui ; moi, je m'occupe de la malade.

À quel point Arthur était affaibli, je m'en rendis seulement compte lorsque tout fut terminé. Je soignai sa blessure et, l'ayant pris par le bras, j'allais l'emmener quand Van Helsing parla sans même se retourner :

– J'estime que le brave fiancé mérite un autre baiser. Qu'il le prenne tout de suite, ajouta-t-il en redressant l'oreiller sous la tête de la malade.

Dans le léger mouvement que Lucy fut obligée de faire, l'étroit ruban de velours noir qu'elle porte toujours autour du cou, et qu'elle ferme par une boucle ancienne tout en diamants qu'Arthur lui a donnée, remonta un peu et découvrit une marque rouge. J'entendis l'espèce de sifflement bien connu chez Van Helsing quand il aspire profondément, et qui trahit toujours chez lui une surprise mêlée d'émotion.

Il ne fit aucune observation au moment même, mais il se retourna et me dit :

– Descendez avec notre si courageux jeune homme ; vous lui donnerez un verre de porto et vous le ferez s'étendre un moment. Puis il retournera chez lui prendre un long repos, dormir de longues heures et manger le plus possible. Au revoir.

Quand Arthur eut quitté la maison, je montai rejoindre le professeur. Lucy dormait encore, mais sa respiration était meilleure. À son chevet, Van Helsing la regardait attentivement. Le ruban de velours recouvrait à nouveau la marque rouge.

– Il faut absolument que je retourne à Amsterdam ce soir, dit-il en se levant. Je dois consulter certains livres, certains documents. Vous, vous passerez toute la nuit ici, au chevet de la malade. Je serai de retour le plus tôt possible.

8 septembre – J'ai veillé toute la nuit, je n'ai pas quitté la chambre de notre malade. À aucun moment elle ne remua ; des heures durant, elle dormit d'un sommeil profond. Tout le temps, elle garda les lèvres légèrement entrouvertes, et sa poitrine s'élevait et s'abaissait avec la régularité d'un balancier d'horloge. Un doux sourire donnait à son visage une expression heureuse; aucun cauchemar, assurément, ne venait troubler sa tranquillité d'esprit.

De bonne heure, le matin, je télégraphiai à Van Helsing et à Arthur afin de les mettre au courant de l'excellent résultat de la transfusion. Le jour tombait quand j'eus le loisir de demander des nouvelles de Renfield. Elles étaient bonnes. Il était très calme depuis la veille. Je dînais lorsque je reçus un télégramme de Van Helsing; il me demandait de retourner à Hillingham le soir même, car il pensait qu'il serait peut-être utile de passer la nuit là-bas, et m'annonçait qu'il serait lui-même à Hillingham le lendemain matin.

9 septembre – J'étais fort fatigué lorsque j'arrivai à Hillingham. Je trouvai Lucy levée et de fort bonne humeur. Nous prîmes ensemble le repas du soir. Puis Lucy monta avec moi, me montra une chambre voisine de la sienne et dans laquelle brûlait un bon feu.

– Voilà, dit-elle, vous vous reposerez ici. Je laisserai nos deux portes ouvertes. Vous vous étendrez sur le sofa… Soyez certain que, si j'ai besoin de l'une ou l'autre chose, je vous appellerai aussitôt.

Je ne pouvais que lui obéir, car, en vérité, je me sentais réellement «à bout». Aussi, après lui avoir fait promettre à nouveau qu'elle m'éveillerait si elle avait besoin de quoi que ce fût, je m'étendis sur le sofa, et m'endormis bientôt profondément.

10 septembre – Je sentis une main se poser sur ma tête ; je sus à l'instant que c'était celle du professeur, et j'ouvris les yeux.

– Comment va notre malade ?

– Elle allait très bien quand je l'ai quittée, ou plutôt quand elle m'a quitté.

Nous gagnâmes la chambre de Lucy. Comme je levais le store et que le soleil du matin illuminait la pièce, j'entendis le professeur siffler discrètement de surprise et je sentis mon cœur se serrer. Tandis que j'allais vers lui, de la main, il me montra le lit. Je sentis mes genoux se dérober sous moi.

Là, sur le lit, la pauvre Lucy paraissait évanouie, plus pâle – d'une pâleur horrible – et plus faible que jamais. Van Helsing eut un mouvement.

– Vite, du brandy ! me dit-il.

Je descendis en courant jusqu'à la salle à manger et remontai avec la carafe. Prenant un peu d'alcool, Van Helsing en humecta les lèvres de la pauvre enfant, puis lui en frotta les paumes des mains, les poignets et le cœur. Ensuite il ausculta le cœur et, après quelques instants d'attente angoissée, déclara :

– Il n'est pas trop tard. Mais nous devons recommencer tout notre travail. Et le jeune Arthur n'est plus là, maintenant. Il faut donc que je fasse appel à votre générosité, ami John.

Tout en parlant, il prenait déjà dans sa trousse les instruments nécessaires à la transfusion ; de mon côté, j'avais enlevé mon veston et relevé la manche de ma chemise, et, sans perdre un moment, nous procédâmes à l'opération.

Quand notre malade se réveilla, tard dans la journée, elle paraissait aller beaucoup mieux. L'ayant examinée, Van Helsing nous quitta pour aller respirer un peu d'air pur, après m'avoir recommandé de ne pas la laisser seule, ne fût-ce qu'une minute. Je l'entendis qui, au bas de l'escalier, demandait où se trouvait le bureau de télégraphe le plus proche.

Lucy bavarda longuement avec moi, sans paraître se douter le moins du monde de ce qui s'était passé. J'essayai de l'amuser, de l'intéresser en lui parlant de choses et d'autres. Et, quand sa mère monta pour la voir, j'eus la certitude que, de son côté, elle ne s'aperçut d'aucun changement chez la malade.

Van Helsing revint deux heures plus tard et me dit :

– Retournez chez vous ; il vous faut faire un bon repas et bien boire, pour reprendre des forces. Moi, je resterai ici cette nuit, auprès de la petite demoiselle. Nous devons étudier le cas, mais personne ne doit être au courant de nos recherches. J'ai pour cela de sérieuses raisons. Non, je ne vous les dévoilerai pas maintenant. Pensez ce que vous voulez, et ne craignez pas de penser même l'impensable. Bonsoir !

11 septembre – Cet après-midi, je suis retourné à Hillingham. Lucy était beaucoup mieux, et Van Helsing avait l'air satisfait. Peu après mon arrivée, on vint remettre au professeur un gros colis qui venait de l'étranger. Il l'ouvrit avec empressement – empressement affecté, bien sûr –, puis se retourna vers Lucy en lui tendant un gros bouquet de fleurs blanches.

– C'est pour vous, miss Lucy, lui dit-il. Ce sont des médicaments, mais vous n'aurez pas à les absorber. Certaines de ces fleurs, je les mettrai à votre fenêtre, avec d'autres je ferai une guirlande que je vous passerai autour du cou afin que vous dormiez paisiblement.

Lucy contemplait les fleurs et respirait leur parfum. Bientôt, elle les repoussa en riant :

– Oh ! professeur, je crois que vous vous moquez de moi ! Ces fleurs ? Mais ce sont simplement des fleurs d'ail.

Je fus assez surpris de voir Van Helsing se lever, puis répondre gravement en fronçant les sourcils :

– Ma chère petite, ces fleurs communes possèdent une vertu qui peut contribuer à votre guérison ! Je les placerai moi-même dans votre chambre ; moi-même je tresserai la couronne que vous porterez autour du cou. Mais, chut ! De tout ceci, il ne faut parler à personne – ne rien répondre aux questions que l'on pourrait vous poser à ce sujet. Maintenant, reposez-vous ! Allons, mon ami John, aidez-moi à orner la chambre de ces fleurs que j'ai commandées directement à Haarlem.

Tout ce que fit le professeur était insolite et s'éloignait de toute pharmacopée existante. D'abord, il ferma soigneusement les fenêtres, veilla à ce que personne ne pût les rouvrir ; puis, prenant une poignée de fleurs, il les frotta sur les châssis, comme s'il voulait que le moindre souffle d'air entrant dans la chambre par un interstice quelconque fût imprégné d'une odeur d'ail. Enfin, il alla frotter de même tout le chambranle de la porte, en haut, en bas, et sur les deux côtés, ainsi que le manteau de cheminée tout entier.

– Écoutez, maître, lui dis-je, vraiment, je ne comprends pas. Certains, à vous voir, croiraient que vous préparez un charme qui doit interdire l'accès de la chambre à quelque esprit malin.

– Eh bien ! oui, peut-être ! me répondit-il tranquillement, et il se mit à tresser la couronne.

Nous attendîmes alors que Lucy fût prête pour la nuit, et lorsqu'on vint nous dire qu'elle s'était mise au lit, Van Helsing alla lui-même lui passer la couronne autour du cou. Avant de la quitter, il lui dit encore :

– Attention ! Gardez bien les fleurs telles que je vous les ai mises ; et, sous aucun prétexte, même si vous trouvez que la chambre sent le renfermé, vous ne pouvez, cette nuit, ouvrir la porte ou les fenêtres !

Tandis que nous nous éloignions de la maison, Van Helsing me dit :

– Ce soir, enfin, je pourrai dormir sur mes deux oreilles, et j'en ai besoin ! Demain, nous reviendrons voir notre jolie petite demoiselle que nous trouverons bien plus forte, à cause de mon « charme ». Ha ! Ha !

XI

Journal de Lucy Westenra

12 septembre – Tous ceux qui m'entourent sont si bons pour moi ! J'aime beaucoup ce cher Dr. Van Helsing, mais je me demande encore pourquoi il tenait absolument à disposer ainsi ces fleurs. Réellement, il me faisait peur – il peut se montrer si autoritaire ! Pourtant, il devait avoir raison, car déjà je me sens mieux, comme soulagée. Je ne savais pas que l'ail pût être agréable, au contraire... Son odeur apaise... Je sens déjà que je m'assoupis. Bonsoir, tout le monde...

Journal du Dr. Seward

13 septembre – Quand je suis arrivé au Berkeley, Van Helsing était déjà prêt et m'attendait. La voiture commandée par l'hôtel était devant la porte. Dès huit heures, nous étions à Hillingham.

Dans le corridor, nous rencontrâmes Mrs. Westenra. Elle nous accueillit très cordialement :

– Vous serez heureux d'apprendre que Lucy est beaucoup mieux ! La chère petite dort encore.

Le professeur s'écria :

– Ah ! Mon diagnostic était donc juste ! Et le traitement agit.

À quoi Mrs. Westenra répondit :

– Cette amélioration, chez ma fille, n'est pas due seulement au traitement que vous lui faites suivre, docteur. Si Lucy est si bien ce matin, c'est en partie grâce à moi.

– Que voulez-vous dire, madame ?

– Eh bien ! comme j'étais un peu inquiète, pendant la nuit, je suis allée dans sa chambre. Partout, il y avait de ces horribles fleurs à l'odeur si insupportable, et même la pauvre enfant en avait autour du cou ! Je les ai enlevées, et j'ai entrouvert la fenêtre pour aérer un peu la chambre. Vous serez satisfait de l'état de notre malade, j'en suis certaine.

Elle se dirigea vers la porte de son boudoir, où elle avait l'habitude de se faire servir son petit déjeuner. Alors, pour la première fois de ma vie, je vis chez Van Helsing des signes de profond découragement.

– Bon Dieu ! fit-il à voix basse, bon Dieu ! Qu'a fait cette pauvre petite pour mériter tant d'épreuves ?

Nous montâmes à la chambre de la jeune fille. Une fois encore, je levai le store pendant que Van Helsing s'approchait du lit. Mais il n'eut plus le même mouvement de surprise lorsqu'il vit la pâleur affreuse du pauvre petit visage. Il alla fermer la porte à clef, puis commença à disposer sur le guéridon les instruments nécessaires à une troisième transfusion de sang.

– Aujourd'hui, c'est vous qui opérerez, et c'est moi qui donnerai le sang. Vous n'êtes déjà que trop affaibli.

Tout en parlant, il ôtait son veston, relevait la manche de sa chemise.

De nouveau la transfusion et, de nouveau, nous vîmes les joues livides se colorer peu à peu, la respiration régulière soulever la poitrine tandis que le sommeil redevenait normal. Une heure ou deux plus tard, Lucy s'éveilla fraîche comme une rose et riant avec nous, bref, elle ne semblait nullement se ressentir de cette nouvelle épreuve.

De quelle maladie souffre-t-elle ?

Journal du Dr. Seward

17 septembre – Après le dîner, j'étais dans mon bureau. Tout à coup, la porte s'ouvrit toute grande et Renfield, les traits convulsés de colère, se précipita vers moi. Il tenait en main un couteau. Je fis un mouvement de recul. Mais, avant que je pusse reprendre mon équilibre, il avait sauté sur moi et m'avait fait au poignet gauche une coupure assez grave. Toutefois, je ne lui laissai pas le temps de frapper une seconde fois, je l'envoyai à terre, allongé sur le dos. Mon poignet saignait abondamment, le sang formait déjà une petite mare sur le tapis. Renfield, je m'en rendis compte immédiatement, ne méditait pas une nouvelle attaque ; aussi me mis-je à bander mon poignet, tout en regardant l'homme étendu par terre. Il était occupé à une besogne qui me souleva le cœur. Retourné sur le ventre, il léchait le sang qui avait coulé de mon poignet en répétant :

– Le sang, c'est la vie ! Le sang, c'est la vie !

Je n'en peux plus ; il me semble que je tomberai d'épuisement si je n'ai pas une nuit de repos. Oh ! Dormir ! Heureusement, Van Helsing ne m'a pas fait appeler ; aussi j'aurai ces heures de sommeil, si nécessaires.

Télégramme de Van Helsing, Anvers, à Seward, Carfax

(Envoyé à Carfax, Sussex, aucun nom de comté n'étant indiqué ; déposé après 22 h.)

« 17 septembre – Ne pas manquer vous rendre à Hillingham ce soir ; si pas veiller tout le temps, entrer souvent dans la chambre voir si fleurs à leur place. Très important. Vous rejoindrai le plus tôt possible, une fois arrivé à Londres. »

Mémorandum laissé par Lucy Westenra

17 septembre, la nuit – J'écris ces lignes sur des feuilles détachées afin qu'on les trouve et les lise, car je veux que l'on sache exactement ce qui s'est passé cette nuit. Je vais mourir de faiblesse, je le sens. J'ai à peine la force d'écrire ; mais il faut que j'écrive ceci même si la mort me surprend la plume à la main.

Comme d'habitude, je me suis mise au lit en ayant soin de placer les fleurs autour de mon cou comme le Dr. Van Helsing me l'a ordonné, et je me suis endormie presque aussitôt. Mais j'ai été réveillée par ces battements d'ailes contre la fenêtre, que j'avais entendus pour la première fois après que, tout endormie, j'étais montée au sommet de la falaise de Whitby où Mina m'a trouvée, et que j'ai entendus si souvent depuis. Alors, au-dehors, venant, m'a-t-il semblé, des buissons, j'ai entendu un cri, comme si un chien hurlait, mais c'était un cri bien plus effrayant. Je suis allée à la fenêtre, me suis penchée pour essayer de distinguer quelque chose dans l'obscurité, mais je n'ai rien vu sinon une grosse chauve-souris, celle-là même probablement qui était venue battre des ailes contre la vitre. Je me suis remise au lit, bien décidée à ne pas m'endormir. Un peu après, ma porte s'ouvrit et maman passa la tête dans l'entrebâillement; voyant que je ne dormais pas, elle entra et vint s'asseoir près de mon lit. Elle, toujours si douce, me dit sur un ton encore plus doux, plus apaisant que d'habitude:

– Je me demandais si tu n'avais besoin de rien, ma chérie, et j'ai voulu venir m'en assurer.

Pour qu'elle ne prît pas froid, je lui proposai de se coucher à côté de moi dans mon lit. Comme elle me tenait serrée dans ses bras, il y eut à nouveau ce bruit contre la fenêtre. Maman sursauta en s'écriant:

– Qu'est-ce que c'est?

On entendit une fois encore hurler dans les buissons, puis quelque chose vint frapper contre la vitre, qui se brisa. Les morceaux de verre s'éparpillèrent sur le plancher. Maman poussa un cri d'effroi et voulut saisir un objet quelconque pour nous défendre. C'est ainsi qu'elle arracha de mon cou la guirlande de fleurs d'aïl, puis la jeta au milieu de la chambre. Puis elle retomba sur l'oreiller, comme frappée par la foudre. J'essayai de m'asseoir sur le lit, mais en vain : je ne sais quelle force mystérieuse m'en empêchait. Puis je perdis connaissance. Je ne me souviens plus de ce qui s'est passé ensuite.

Que vais-je faire maintenant ? Que vais-je faire ?... Je suis dans la chambre, auprès de maman ; je ne peux pas la quitter, et je suis seule dans la maison. Seule avec la mort ! Dieu veuille qu'il ne m'arrive rien de mal, cette nuit ! Je vais glisser ces feuilles dans mon corsage afin qu'on les trouve quand on fera ma dernière toilette. Ma pauvre maman est partie ! Il est temps que je m'en aille aussi ! Je vous dis adieu, dès maintenant, mon cher Arthur, si je dois mourir cette nuit. Dieu vous garde, mon ami, et me vienne en aide !

XII

Journal du Dr. Seward

18 septembre – J'arrivai de bonne heure à Hillingham. Laissant la voiture à la grille de l'allée, je marchai jusqu'à la maison. Au moment où j'arrivais devant la porte principale, j'entendis le trot rapide d'un cheval ; la voiture, je m'en rendis compte, s'arrêta devant la grille ; et, quelques secondes plus tard, je vis Van Helsing qui remontait l'allée en courant. Quand il m'aperçut, bien que tout essoufflé, il parvint à me dire :

– Ah ! C'est vous ? Vous venez donc d'arriver ? Comment va-t-elle ? Est-il encore temps ? N'avez-vous pas reçu mon télégramme ?

Je lui répondis que j'avais seulement reçu son télégramme aux premières heures de la matinée et que j'étais aussitôt venu ici.

Il resta un moment silencieux, puis, se découvrant, il reprit sur un ton grave :

– Je suppose donc que nous arrivons trop tard. Que la volonté de Dieu soit faite !

Nous montâmes alors sans perdre une seconde à la chambre de Lucy.

Comment décrire le spectacle qui s'offrit à nos yeux ? Sur le lit étaient étendues Lucy et sa mère ; celle-ci laissait voir un visage blême et tiré, marqué par la frayeur. À côté d'elle, Lucy reposait, le visage encore plus tiré. La couronne de fleurs qu'elle portait autour du cou se trouvait maintenant sur la poitrine de Mrs. Westenra et, comme sa gorge était découverte, on voyait les deux petites blessures que nous avions déjà remarquées auparavant, mais devenues beaucoup plus vilaines. Sans un mot, le professeur se pencha sur le lit, sa tête touchant presque la poitrine de la pauvre Lucy ; puis il me cria :

– Il n'est pas trop tard ! Vite, vite ! Du brandy ! Pour le moment, il n'y a rien d'autre à faire...

Une servante vint nous avertir alors qu'un monsieur était là, avec un message de la part de Mr. Holmwood. Comme nous ne pouvions recevoir personne en ce moment, je la priai de faire attendre ce visiteur ; j'avoue que j'oubliai bientôt sa présence, tout occupé que j'étais de notre malade.

Bientôt, au moyen du stéthoscope, on entendait de nouveau le cœur battre, et le souffle des poumons redevenait perceptible. Van Helsing me dit, le visage presque rayonnant :

– Nous avons gagné la première manche ! Échec au roi !

Ayant appelé une servante, le professeur lui ordonna de rester au chevet de sa jeune maîtresse, de ne pas la quitter des yeux jusqu'à ce que nous fussions de retour, puis il me fit signe de sortir avec lui de la chambre.

– Nous devons réfléchir maintenant à ce qu'il

nous faut faire, me dit-il comme nous descendions l'escalier.

Nous entrâmes dans la salle à manger, dont il referma soigneusement la porte derrière lui. La gravité, peinte sur les traits de Van Helsing, avait plutôt fait place à présent à la perplexité. De toute évidence, il cherchait à résoudre une nouvelle difficulté.

– Eh bien oui, que faire ? reprit-il. Il faut absolument une autre transfusion de sang – oui, encore une, et cela le plus vite possible, ou la pauvre enfant ne vivra pas une heure de plus. Vous, mon ami, vous êtes épuisé, comme moi d'ailleurs. Où trouver quelqu'un qui voudrait lui donner un peu de son sang ?

– Je ne suis pas ici, non ?

La voix venait du sofa, à l'autre bout de la pièce. Me précipitant les mains tendues, je m'écriais :

– Quincey Morris ! Qu'est-ce qui vous amène ici ?... Arthur vous a sans doute...

Pour toute réponse, il me tendit un télégramme. Je lus :

« *Pas de nouvelles de Seward depuis trois jours. Terriblement inquiet. Impossible de quitter père, toujours aussi mal. Écrivez-moi sans tarder comment va Lucy.*

« *Holmwood.* »

– Je pense que j'arrive à point nommé, dit-il alors. Vous n'avez qu'à m'indiquer ce que je dois faire.

Van Helsing s'approcha de Morris à son tour, lui serra la main et, le regardant dans les yeux, déclara :

– Quand une femme épuisée a besoin de sang, celui d'un homme courageux est la seule chose qui puisse la sauver.

Et, de nouveau, nous procédâmes à la transfusion de sang. Le professeur resta à veiller Lucy pendant que je descendais avec Quincey Morris. Après lui avoir donné un verre de vin, je fis étendre Quincey sur le sofa et je dis à la cuisinière de lui préparer un déjeuner substantiel. Puis je retournai dans la chambre de la malade. Je trouvai Van Helsing tenant en main deux ou trois feuillets de papier. Il me tendit les feuillets en me disant seulement :

– C'est tombé du corsage de Lucy.

Ayant lu ces feuillets à mon tour, je regardai interdit le professeur et, après un moment, je lui demandai :

– Pour l'amour du Ciel, qu'est-ce que tout cela signifie ?

Van Helsing me reprit les papiers.

– N'y pensez plus pour le moment, fit-il. Oubliez cela. Le temps viendra où vous saurez tout, où vous comprendrez tout... Mais plus tard...

J'allai rejoindre Quincey. Il me dit :

– Jack Seward, je ne voudrais pas me mêler de ce qui ne me regarde pas, mais, enfin, la situation est exceptionnelle... Vous savez que j'aimais cette jeune fille et que je l'avais demandée en mariage. Réellement, de quoi souffre-t-elle ? Le Hollandais – un vieil homme remarquable, je l'ai vu tout de suite – vous disait quand vous êtes entrés tous les deux dans la salle à manger où je me trouvais qu'une *autre* transfusion de sang était nécessaire, mais il a ajouté que vous, l'un comme l'autre, vous étiez déjà épuisés. Dois-je comprendre que, Van Helsing et vous, vous vous êtes déjà soumis à l'épreuve à laquelle je viens de me soumettre ?

– Exactement.

– Et je suppose qu'Arthur a fait de même.

– Oui, fis-je, Arthur le premier... Il y a une dizaine de jours.

– Dix jours ! Mais alors, cette pauvre petite créature que nous aimons tous a reçu dans ses veines, en l'espace de dix jours, du sang de quatre hommes ?

Puis, venant plus près de moi, tout bas mais sur un ton assez brusque, il me demanda :

– Et pourquoi, malgré cela, reste-t-elle exsangue ?

– Ça, c'est le mystère, fis-je en hochant la tête.

Quincey me tendit la main.

– Je vous aiderai, dit-il. Vous et le Hollandais, vous n'aurez qu'à me dire ce que je dois faire, et je le ferai.

Quand Lucy s'éveilla, assez tard dans l'après-midi, son premier geste fut de passer la main sous sa chemise de nuit et, à ma grande surprise, de prendre les feuillets que Van Helsing m'avait fait lire. Le professeur les avait soigneusement replacés là d'où ils étaient tombés. Alors, elle regarda un moment Van Helsing, puis me regarda, et parut contente. Puis elle poussa un cri et, de ses mains amaigries, se couvrit le visage, presque aussi blanc que les draps. La pauvre enfant revenait à la réalité qui, pour elle, à ce moment, se résumait à ceci : elle avait perdu sa mère.

19 septembre – Toute la nuit, son sommeil fut agité. Van Helsing et moi la veillâmes tour à tour ; pas un instant nous ne la laissâmes seule. Quincey Morris ne nous mit point au courant de ses intentions, mais, toute la nuit, il se promena autour de la maison.

Au matin, Lucy, nous nous en rendîmes compte, n'avait littéralement plus aucune force. C'est à peine si elle pouvait encore tourner la tête, et le peu de nourriture qu'elle prenait ne lui profitait pas. Parfois, quand elle dormait quelques moments, Van Helsing et moi étions frappés par le changement qui s'opérait chez elle. Endormie, elle nous paraissait plus forte malgré son visage décharné, et sa respiration était plus lente, plus régulière ; sa bouche ouverte laissait voir des gencives pâles fortement retirées des dents, lesquelles paraissaient ainsi beaucoup plus longues et plus pointues. Lorsqu'elle était éveillée, la douceur de ses yeux lui rendait évidemment l'expression que nous lui avions toujours connue, bien qu'elle eût les traits d'une mourante. Dans l'après-midi, elle a demandé à voir Arthur, à qui, immédiatement, nous avons télégraphié de venir. Quincey est allé le chercher à la gare.

Il est maintenant près d'une heure ; Van Helsing et Arthur sont auprès d'elle ; dans un quart d'heure, j'irai les remplacer et, en attendant, j'enregistre cela sur le phonographe de Lucy.

Rapport de Patrick Hennessey à John Seward

« 20 septembre.

« Mon cher confrère,

« Ainsi que vous avez bien voulu me le demander, je vous fais part de l'état des malades que j'ai vus… En ce qui concerne Renfield, il y a beaucoup à dire. Il a eu une nouvelle crise qui, alors que nous aurions pu craindre le pire, s'est terminée sans conséquences fâcheuses. Il faut savoir que, cet après-midi, un camion conduit par deux hommes est venu à la maison abandonnée dont le parc joint le nôtre – cette maison vers laquelle, vous vous en souvenez, notre malade s'est enfui à deux reprises déjà.

« Moins d'une demi-heure plus tard, il avait sauté par la fenêtre de sa chambre, et il descendait l'allée en courant. J'appelai les surveillants et leur dis de le rattraper à tout prix, car je craignais qu'il ne voulût faire quelque malheur. Je ne me trompais pas. Un moment après, je vis le camion revenir, chargé de grandes caisses. Les camionneurs s'épongeaient le front et ils avaient le visage encore tout rouge, comme s'ils avaient fait de violents efforts. Avant que je pusse rattraper notre malade, il se précipita sur le camion et, saisissant l'un des hommes et l'obligeant à descendre, il se mit alors à frapper la tête de sa victime contre le sol. Mais, comme peu à peu nous parvenions à le maîtriser et que mes aides lui mettaient une camisole de force, il commença à crier :

« – Je déjouerai leurs plans ! Ils ne me voleront pas, ils ne me tueront pas ! Je me battrai pour mon seigneur et maître !

« Et il continua à lancer toutes sortes d'insanités. Nous eûmes beaucoup de difficultés à le ramener à l'établissement, puis à l'enfermer dans le cabanon. Quant aux deux camionneurs, quand je leur eus fait boire à chacun un bon grog, ou plutôt deux, et glissé un souverain dans la main, ils ne parlèrent plus de l'incident que pour en rire et formèrent le vœu de pouvoir se battre un jour contre un fou plus détraqué encore. Je pris leurs noms et leurs adresses, au cas où l'on aurait besoin d'eux. Les voici : Joseph Smollet, King George's Road, Great Walworth, et Thomas Snelling, Peter Farley's Row, Guide Court, Bethnal Green. Ces deux hommes travaillent chez Harris & Sons, Déménagements et Expéditions par mer.

« Je vous tiendrai au courant de tout ce qui se passe ici d'important, et je vous télégraphierai immédiatement s'il y a lieu.

« Votre dévoué,

« Patrick Hennessey. »

Mina Harker à Lucy Westenra (lettre restée non ouverte par la destinataire)

« 18 septembre.

« Ma très chère Lucy,

« Il nous arrive un bien grand malheur. Mr. Hawkins vient de mourir inopinément. Certains, peut-être, comprendront mal que nous ayons tant de chagrin, mais, tous deux, nous l'aimions au point qu'il nous semble avoir perdu un

père. Pour moi, je n'ai pour ainsi dire pas connu mes parents, et quant à Jonathan, s'il est cruellement frappé dans l'affection qu'il avait pour cet homme exceptionnellement généreux et qui le considérait comme son propre fils, cette disparition le laisse désarmé à un autre point de vue encore. Le sentiment de toutes les responsabilités qui, à présent, vont lui incomber, déjà le rend plus nerveux ; du moins le dit-il, et il commence à douter de lui-même. Car c'est là le pire résultat du choc terrible dont il a été victime. Auparavant, il était si courageux, si énergique – s'il en fallait une preuve, ce serait l'estime que lui a précisément témoignée le pauvre Mr. Hawkins en faisant de lui son associé. Je redoute la journée d'après-demain : nous devrons aller à Londres, une des dernières volontés de Mr. Hawkins étant d'être enterré auprès de son père. Et comme il n'avait plus de parents – même éloignés –, c'est Jonathan qui conduira le deuil. Mais j'essaierai d'aller te voir, ma chère Lucy, ne serait-ce que pendant quelques minutes. Pardonne-moi encore tous ces détails ! En te souhaitant mille bonnes choses, je reste

« Ta grande amie,

« Mina Harker. »

Journal du Dr. Seward

20 septembre – Ce soir, seules la volonté, et aussi l'habitude, me font reprendre ce journal. Je me sens malheureux, abattu, découragé. D'abord, la mère de Lucy, puis le père d'Arthur, et maintenant… Mais que je poursuive mon récit…

Je retournai donc au chevet de Lucy pour permettre à Van Helsing d'aller se reposer.

Arthur sortit de la chambre avec lui, non sans avoir arrêté longuement sur la pauvre Lucy un regard douloureux et aimant. Lucy n'avait jamais paru aussi mal. Sa bouche ouverte laissait continuellement voir ses gencives exsangues. Ses dents paraissaient plus longues, plus pointues encore que le matin même. Je venais de m'asseoir auprès du lit quand elle fit un mouvement, comme si elle souffrait. Au moment même, quelque chose vint cogner contre la vitre. J'allai lentement jusqu'à la fenêtre, soulevai un coin du store et regardai. Il y avait un clair de lune, et je vis une grosse chauve-souris qui passait et repassait, sans doute attirée par la lumière, faible cependant, de la chambre à coucher ; à tout moment, ses ailes venaient effleurer le carreau.

À six heures du soir, Van Helsing vint prendre ma place. Arthur s'était finalement assoupi et le professeur le laissa dormir. Quand il vit Lucy, j'entendis son petit sifflement, et il me dit tout bas, mais sur un ton vif :

– Levez le store ! J'ai besoin de voir clair !

Il se baissa et, son visage touchant presque celui de Lucy, il procéda à un examen minutieux. Pour ce faire, il écarta les fleurs. Aussitôt, il sursauta, et son cri s'étrangla dans sa gorge : « Mon Dieu ! » À mon tour, je me penchai, et ce que je vis me fit frémir, assez étrangement.

Les blessures à la gorge avaient complètement disparu.

Pendant cinq minutes au moins, Van Helsing resta là à regarder la pauvre enfant, l'air plus consterné, plus grave que jamais. Puis, lentement, il se retourna vers moi et me dit avec calme :

– Elle est en train de mourir ; cela ne tardera plus maintenant. Mais, entendez-moi bien, qu'elle meure dans son sommeil ou non, ce ne sera pas tout à fait la même chose. Allez éveiller ce pauvre garçon, qu'il vienne la voir une dernière fois ; il attend que nous l'appelions : nous le lui avons promis.

Je descendis dans la salle à manger, et j'éveillai Arthur.

– Allons, mon vieil ami, lui dis-je ; soyez courageux, ne serait-ce que pour elle.

Nous étions à peine entrés qu'elle ouvrit les yeux, et, voyant son fiancé, elle murmura doucement :

– Arthur ! Mon amour ! Comme c'est bien que vous soyez là !

Arthur lui prit la main et s'agenouilla près du lit. Malgré tout, elle paraissait encore jolie, la douceur de ses traits s'harmonisant avec la beauté angélique de ses yeux. Peu à peu, ses paupières se fermèrent et elle s'endormit. Pendant quelques moments, sa poitrine se souleva, s'abaissa lentement, régulièrement ; à la voir respirer, on eût dit un enfant fatigué.

Puis elle ouvrit les yeux, le regard à la fois triste et dur, mais ce fut d'une voix douce et voluptueuse qu'elle répéta :

– Arthur ! Oh, mon amour ! Je suis si heureuse :

comme c'est bien que vous soyez là! Embrassez-moi!

Immédiatement, il se pencha pour l'embrasser. Mais Van Helsing le fit reculer d'un geste si violent que je m'aperçus avoir ignoré jusque-là qu'il avait tant de force, et l'envoya presque à l'autre bout de la chambre.

– Malheureux, ne faites pas ça! s'écria-t-il. Ne faites jamais ça, par pitié pour votre âme et pour la sienne!

Arthur resta interdit l'espace d'un moment, ne sachant que dire ni que faire. Van Helsing et moi ne quittions pas Lucy des yeux. Nous vîmes comme une convulsion de rage passer sur ses traits, et ses dents pointues se rejoignirent avec bruit, comme si elles avaient mordu quelque chose. Puis, encore une fois, les yeux se refermèrent, la respiration devint difficile.

Mais elle rouvrit bientôt les yeux, qui avaient repris toute leur douceur, et sa pauvre petite main blanche et décharnée chercha celle de Van Helsing; l'attirant à elle, elle la baisa.

– Mon ami incomparable, lui dit-elle d'une voix faible, tremblante d'une émotion indicible, mon ami incomparable qui êtes aussi le sien! Oh! Veillez sur lui et, à moi, donnez le repos!

– Je vous le jure! répondit le professeur avec gravité.

Puis se tournant vers Arthur:

– Venez, mon enfant, lui dit-il, prenez-lui la main,

et déposez un baiser sur son front – un seul, vous m'entendez !

Leurs regards se rencontrèrent, au lieu de leurs lèvres. Et c'est ainsi qu'ils se quittèrent.

On entendit encore quelques râles ; puis plus rien, plus la moindre respiration.

Je me tenais à côté de Van Helsing et je lui dis :

– Enfin, la pauvre petite est en paix ! Pour elle, les souffrances sont finies.

– Non, hélas ! murmura-t-il en tournant la tête vers moi. Non, hélas ! Elles ne font que commencer.

XIII

Journal du Dr. Seward (suite)

Nous décidâmes que les funérailles auraient lieu dès le surlendemain, afin que Lucy et sa mère fussent enterrées ensemble. Je m'occupai de toutes les lugubres formalités. Van Helsing, je le remarquai, ne s'éloigna pas de la maison. Nous ne connaissions pas les parents des défuntes et, comme pendant la journée du lendemain Arthur devait s'absenter pour assister à l'enterrement de son père, il nous fut impossible d'avertir aucun membre de la famille. Van Helsing et moi prîmes donc la responsabilité d'examiner tous les papiers que nous trouvâmes ; le professeur voulut tout particulièrement voir lui-même ceux de Lucy.

La matinée fut évidemment lugubre et me parut longue. Vers midi pourtant, le notaire arriva : Me Marquand nous apprit que, à l'exception d'une propriété du père de Lucy, qui maintenant, à défaut de descendance directe, retournait à une branche lointaine de la famille, tous les biens, immobiliers et autres, étaient laissés à Arthur Holmwood. Il ne resta pas longtemps avec nous, mais il nous dit qu'il reviendrait en fin d'après-midi pour le rencontrer.

Quand Arthur arriva, la chambre était comme nous l'avions laissée. Il éclata en sanglots, jeta les bras autour de mes épaules et, la tête sur ma poitrine :

– Oh ! Jack, Jack ! Que vais-je devenir ? Il me semble que j'ai tout perdu, que je n'ai plus au monde aucune raison de vivre.

Après s'être agenouillé un moment près du lit et avoir longuement contemplé la jeune fille avec amour, il se détourna. Je l'avertis que c'était le moment de lui dire adieu pour toujours, car on allait la mettre dans le cercueil ; de sorte qu'il alla lui reprendre sa pauvre petite main, la porta à ses lèvres, puis se pencha pour lui baiser le front. Il se décida enfin à quitter la chambre, mais en regardant encore la chère défunte jusqu'à ce qu'il eût franchi la porte.

Je le laissai dans le salon pour aller rejoindre Van Helsing ; celui-ci donna alors ordre aux employés de l'entrepreneur des pompes funèbres de monter le cercueil et de procéder à la mise en bière.

Au dîner, je remarquai que le pauvre Arthur s'efforçait de cacher sa douleur du mieux qu'il pouvait. Van Helsing, lui, était resté silencieux pendant tout le repas, mais, lorsque nous eûmes allumé nos cigares, il s'adressa à Arthur :

– Puis-je vous poser une question ?

– Certainement.

– Vous savez que Mrs. Westenra vous a laissé tout ce qu'elle possédait ?

– Non... Je ne m'en serais jamais douté.

– Et puisque, maintenant, tous ces biens vous appartiennent, vous avez le droit d'en disposer comme il vous plaît. Je vous demande la permission de pouvoir lire tous les papiers, toutes les lettres de miss Lucy. Croyez-moi, ce n'est pas par curiosité. J'ai pour cela une raison que, j'en suis sûr, elle eût approuvée. J'ai trouvé ces papiers et ces lettres. Je les ai pris, avant de savoir que désormais ils vous appartenaient. Je les garderai, si vous m'y autorisez. Puis, quand le moment sera venu, je vous rendrai papiers et lettres.

Arthur répondit avec une franchise, une sincérité où je le retrouvais :

– Docteur Van Helsing, vous ferez en tout comme vous l'entendez.

Journal de Mina Harker

22 septembre – J'écris dans le train qui nous ramène à Exeter. Jonathan dort. Il me semble que c'est hier que j'ai écrit les dernières lignes de ce journal, et maintenant me voilà mariée à Jonathan qui est notaire, maître de sa propre étude ; Mr. Hawkins est mort et enterré, et Jonathan vient d'être victime d'une nouvelle crise qui, j'en ai peur, peut avoir de fâcheuses conséquences.

Le service a été très simple, très émouvant. Pour revenir en ville, nous avons pris un bus qui nous a déposés à Hyde Park Corner. Jonathan, pensant me faire plaisir, me proposa d'entrer dans la grande allée du parc et nous nous dirigeâmes vers Piccadilly. Nous marchions, allant droit devant nous... J'eus l'attention attirée par une très belle jeune fille, coiffée d'un immense chapeau et assise dans une victoria qui était arrêtée devant la maison Guiliano. Au même instant, la main de Jonathan me serra le bras au point que j'en eus mal, et je l'entendis me murmurer à l'oreille, presque en retenant sa respiration : « Mon Dieu ! » Je le vis très pâle ; ses yeux restaient fixés sur un homme grand et mince, au nez aquilin, à la moustache noire et à la barbe pointue, qui, lui aussi, regardait la ravissante jeune fille. Son visage n'annonçait rien de bon ; il était dur, cruel, sensuel, et les énormes dents blanches, qui paraissaient d'autant plus blanches entre les lèvres couleur rubis, étaient pointues comme les dents d'un animal. Quand je demandai à Jonathan la cause de son trouble, il me répondit, croyant évidemment que j'en savais aussi long que lui :

– L'as-tu reconnu ?

– Mais non, qui est-ce ?

– Mais c'est lui… c'est le comte, mais il a rajeuni ! Mon Dieu ! Si c'est lui… Oh ! Mon Dieu ! Si au moins je savais…

Il se tourmentait à tel point que je me gardai bien de lui poser la moindre question, de peur d'entretenir chez lui ces pensées qui le torturaient. Je le tirai doucement et, comme il me tenait le bras, il se laissa entraîner. Le temps est venu, je le crains, où il me faut lire ce qui est écrit dans le calepin. Oh ! Jonathan, tu me pardonneras, je le sais, et si je le fais, c'est pour ton bien.

Un peu plus tard – Triste retour à la maison. Un télégramme d'un certain Van Helsing nous attendait :

« *J'ai le regret de vous annoncer la mort de Mrs. Westenra, survenue il y a cinq jours, et celle de sa fille Lucy, avant-hier. Toutes deux ont été enterrées aujourd'hui.* »

Journal du Dr. Seward

22 septembre – Tout est donc fini. Arthur est reparti, et il a emmené Quincey Morris avec lui. Quel admirable garçon, ce Quincey ! Si l'Amérique continue à produire des hommes semblables à celui-ci, elle deviendra assurément une puissance dans le monde. Quant à Van Helsing, il se reposa avant d'entreprendre son voyage de retour ; il doit rentrer à Amsterdam, où il veut s'occuper personnellement de certaines choses ; il compte pourtant revenir demain soir, car il a à faire à Londres un travail qui peut lui prendre un certain temps. Je crains, je l'avoue, que l'épreuve à laquelle il vient d'être soumis n'ait affaibli sa résistance, pourtant de fer. Pendant les funérailles, je remarquai qu'il s'imposait une contrainte peu ordinaire. Quand tout fut fini, nous nous retrouvâmes à côté d'Arthur, qui parlait avec émotion du sang qu'il avait donné pour Lucy ; je vis Van Helsing pâlir et rougir tour à tour. Arthur disait que, depuis lors, il avait le sentiment d'avoir été réellement marié à Lucy, qu'elle était sa femme devant Dieu. Bien entendu, aucun de nous ne fit allusion aux autres transfusions de sang, et jamais nous n'en dirons mot.

The Westminster Gazette, 25 septembre

Un mystère à Hampstead – Depuis deux ou trois jours, on a signalé le cas de jeunes enfants disparus du foyer paternel, ou qui n'y sont rentrés que longtemps après être allés jouer sur la lande. Chaque fois, il s'agissait d'enfants trop jeunes pour qu'ils pussent fournir des explications satisfaisantes, mais tous ont donné comme excuse qu'ils avaient accompagné la « dame-en-sang ». En ce qui concerne deux de ces enfants, on ne les a retrouvés qu'aux premières heures du lendemain. L'affaire n'est pas sans poser un problème très sérieux, puisque deux de ces enfants – ceux-là mêmes qui ne sont pas revenus de toute la nuit – ont été légèrement mordus à la gorge. Il semble qu'il s'agisse de morsures faites par un rat ou par un petit chien et, bien qu'aucune de ces blessures ne soit grave, elle donnerait la preuve que, rat ou chien, l'animal procède selon une méthode qui ne varie jamais. La police a reçu des ordres afin d'observer tout enfant, surtout s'il est très jeune, qu'elle apercevrait sur la lande de Hampstead ou dans les environs, comme aussi tout chien égaré qui pourrait errer de ce côté.

XIV

Journal de Mina Harker

23 septembre – Après une nuit assez mauvaise, Jonathan va mieux. Il s'est absenté pour toute la journée. Je vais m'enfermer dans ma chambre pour lire ce journal qu'il a écrit durant son séjour en Transylvanie…

24 septembre – Hier soir, impossible d'écrire une ligne, bouleversée que j'étais par ce récit incroyable. Pauvre chéri, il a dû beaucoup souffrir ! A-t-il décrit toutes ces horreurs après avoir eu sa fièvre cérébrale, ou bien est-ce que celle-ci a été causée par ces horreurs mêmes ? Je crois que je n'oserai jamais lui en parler. Et pourtant, cet homme que nous avons vu hier… Jonathan semblait être certain de le reconnaître… Le pauvre garçon ! Sans doute était-ce l'enterrement de notre grand ami qui l'avait ému et troublé au point de lui remettre à l'esprit ces pensées aussi bizarres que lugubres…

Lettre de A. Van Helsing à Mrs. J. Harker («Confidentiel»)

« *24 septembre.*

« *Chère Madame,*

« *Je vous prie de bien vouloir me pardonner si je prends la liberté de vous écrire ; déjà c'est moi qui ai eu le pénible devoir de vous annoncer la mort de miss Lucy Westenra. Avec l'aimable permission de lord Godalming, j'ai lu tous les papiers de miss Lucy, car je m'occupe de certaines affaires la concernant et qui sont de première importance. Voudriez-vous me permettre de vous rencontrer ? Je suis l'ami du Dr. John Seward et l'ami de lord Godalming (vous savez, l'Arthur de miss Lucy). Je viendrai vous faire visite à Exeter aussitôt que vous me le direz. Je sais combien votre mari a souffert ! Je vous demanderai donc encore de le laisser dans l'ignorance de tout ceci, de peur que les choses dont j'ai à vous parler ne nuisent à sa santé. À nouveau, je vous prie de me pardonner.*

« *Van Helsing.* »

Télégramme de Mrs. Harker au Dr. Van Helsing

« *25 septembre. Venez aujourd'hui même par le train de 10 h 15, si cela vous est possible. Je suis chez moi toute la journée.*

« *Wilhelmina Harker.* »

Journal de Mina Harker

25 septembre – Je ne puis m'empêcher de me sentir fort excitée maintenant qu'approche l'heure de la visite du Dr. Van Helsing. Jonathan m'a quittée ce matin pour ne rentrer que demain. J'espère qu'il sera prudent... Deux heures viennent de sonner, le docteur sera bientôt ici. Je ne lui parlerai pas du journal de Jonathan. Quant à mon propre journal, je suis bien aise de l'avoir recopié à la machine : je pourrai le lui donner à lire s'il veut connaître les détails au sujet de Lucy.

Un peu plus tard – Il était deux heures et demie quand j'entendis le heurtoir de la porte d'entrée. Quelques minutes se passèrent, et Mary vint annoncer le Dr. Van Helsing.

Je me levai et m'inclinai tandis qu'il avançait vers moi.

– Mrs. Harker, je crois ?

Je répondis d'un signe de tête.

– Qui était auparavant miss Mina Murray ?

Même geste de ma part.

– C'est Mina Murray que je viens voir, l'amie de notre chère Lucy Westenra. Oui, madame Mina, c'est au sujet de la morte que je désire vous parler. Elle tenait un journal. Je viens à vous, dans l'espoir que vous aurez la bonté de me donner tous les détails à son sujet.

– À dire vrai, docteur, j'ai noté au fur et à mesure les événements quotidiens dont j'étais témoin. Je peux vous montrer mes notes… mon journal… si vous le désirez.

– Oh ! madame Mina, vous me rendriez là un service immense !

Les yeux brillants, il prit mes feuilles et s'installa

dans un fauteuil, tournant le dos à la lumière. Si j'allai à l'office, ce fut avant tout pour ne pas le distraire. Lorsque je rentrai au salon, il se précipita vers moi et me prit les deux mains :

– Oh ! madame Mina ! Ce journal est lumineux comme le soleil ! Je suis ébloui, véritablement ébloui par tant de lumière… Mais votre mari ? Parlez-moi de lui, maintenant. Va-t-il tout à fait bien ?

– Il était presque rétabli, mais la mort de Mr. Hawkins a été pour lui un coup très dur… Et lorsque nous étions à Londres, jeudi dernier, il a reçu comme un nouveau choc. Il a cru voir quelqu'un qui lui rappelait une chose terrible, cette chose même qui a provoqué sa fièvre cérébrale.

Et moi-même, à mon tour, je crus soudain que je n'en supporterais pas davantage : la pitié que j'éprouvais pour Jonathan, l'épouvantable mystère que l'on devinait en lisant son journal, et la crainte qui n'avait cessé de grandir en moi depuis que j'avais fait cette lecture – tout cela me déchira véritablement le cœur et je levai les mains vers le docteur en le suppliant de guérir mon mari. Il me fit asseoir sur le sofa et me dit alors, oh ! avec quelle bonté dans la voix :

– Je vais passer la nuit ici, à Exeter, car il faut encore que je réfléchisse à ce que vous venez de m'apprendre, puis je vous poserai à nouveau quelques questions. Pour l'instant, vous allez essayer de m'expliquer de quoi se plaint Jonathan…

– Si vous le permettez, je vais vous donner

quelque chose à lire. C'est la copie du journal qu'il a écrit pendant son séjour en Transylvanie ; je préfère ne rien vous en dire : vous jugerez vous-même. Et alors, quand nous nous reverrons, peut-être aurez-vous la bonté de me dire ce que vous en pensez réellement.

– Je vous le promets, fit-il. Et demain matin, je viendrai vous rendre visite.

Le Dr. Van Helsing prit donc les feuillets et les emporta. Demeurée seule, je me mis à penser... à penser... et je pense encore... à je ne sais quoi.

Lettre de A. Van Helsing à Mrs. J. Harker

« 25 septembre, 6 h du soir.

« Chère Madame Mina,

« J'ai donc lu l'étonnant journal de votre mari. N'ayez plus le moindre doute. Aussi étrange, aussi terrible que tout cela puisse être, tout cela est vrai ! J'en suis absolument certain. Pour d'autres, cela pourrait signifier le pire – pour lui et pour vous, il n'y a, au contraire, rien à redouter. Votre Jonathan est un homme courageux ; laissez-moi vous dire que celui qui a osé descendre le long du mur et entrer dans cette chambre comme votre mari l'a fait à deux reprises ne souffrira pas sa vie durant du choc qu'il a pu recevoir. Ses facultés mentales et affectives sont intactes : je puis vous le jurer avant même d'avoir vu votre mari.

« Votre tout dévoué,

« Abraham Van Helsing. »

Mrs. Harker au Dr. A. Van Helsing

« 25 septembre, 6 h 30 du soir.

« Mon cher docteur Van Helsing,

« Je vous remercie mille fois pour votre aimable lettre qui m'a tellement rassurée, oui ! Et pourtant, si tout cela est vrai, comme vous le dites, quelles choses affreuses peuvent exister en ce monde, et se peut-il – hélas ! – que cet homme, ce monstre, soit à Londres ! J'ai peur à cette seule pensée ! Je reçois à l'instant, pendant que je vous écris, un télégramme de Jonathan m'annonçant qu'il quitte Launceston ce soir. Voulez-vous peut-être venir partager notre petit déjeuner à huit heures ? Ne répondez pas à ce mot. Si je ne reçois rien de vous, je vous attends pour le petit déjeuner.

« Croyez-moi, je vous prie, votre reconnaissante et fidèle amie,

« Mina Harker. »

Journal de Jonathan Harker

26 septembre – Je pensais ne jamais reprendre ce journal, mais il me semble que je doive à nouveau écrire. Quand je suis rentré à la maison, hier soir, Mina m'a raconté la visite de Van Helsing et m'a dit qu'elle lui avait donné une copie de son journal et une copie du mien ; et, pour la première fois, elle m'avoua à quel point elle avait été inquiète à mon sujet. Mais elle me montra immédiatement la lettre du docteur, où il affirme que tout ce que j'ai écrit dans mon journal est la vérité même. Depuis que j'ai lu cela, j'ai l'impression d'être un autre homme. À présent, *je sais*, je n'ai plus peur de rien ni de personne, pas même du comte. Après tout, il avait l'intention de venir à Londres, et il y est venu. C'est lui que j'ai vu, l'autre jour. Comment y a-t-il réussi ? Van Helsing est l'homme qui va le démasquer, le chasser à tout jamais de notre vie.

Après le petit déjeuner, je le conduisis à la gare. Au moment de nous séparer, il me dit :

– Pourriez-vous venir à Londres si je vous le demande ? Et y venir avec Mme Mina ?

– Nous viendrons tous les deux quand cela vous conviendra.

Je lui avais acheté les journaux du matin et, tandis que nous bavardions à la portière du compartiment en attendant le départ du train, il les feuilletait. Son attention parut soudain attirée par un titre de la *Westminster Gazette* et, aussitôt, il blêmit. Il lut quelques lignes, et je l'entendis murmurer avec effroi :

– Mon Dieu ! Mon Dieu ! Déjà !

Le sifflet retentit, et le train s'ébranla. Rappelé alors à la réalité, Van Helsing se pencha à la portière, agita la main et me cria :

– Toutes mes amitiés à Mme Mina ! J'écrirai dès que je le pourrai.

Journal du Dr. Seward

26 septembre – Renfield est plus calme que jamais. Maintenant, ce sont ses araignées qui lui prennent des heures entières ; pour le moment, il ne me cause plus aucun ennui. Je viens de recevoir une lettre d'Arthur, écrite dimanche, et, d'après tout ce qu'il me dit, je conclus qu'il se porte bien. Quincey Morris est auprès de lui. D'ailleurs, celui-ci m'a écrit également, et il m'apprend qu'Arthur retrouve un peu de sa gaieté. Comment tout cela finira, Dieu seul le sait ! Il me semble que Van Helsing croit le savoir, lui. Hier, il est allé à Exeter, d'où il est revenu aujourd'hui seulement. C'est vers cinq heures qu'il est entré dans mon bureau, en se précipitant vers moi pour me tendre l'édition d'hier soir de la *Westminster Gazette*.

– Que pensez-vous de ceci ?

Il pointait du doigt un article où il était question d'enfants disparus aux environs de Hampstead, mais que l'on avait retrouvés. Cela ne me frappa point particulièrement, jusqu'au moment où je lus qu'ils portaient à la gorge de petites blessures, comme s'ils avaient été mordus.

– Eh bien ? fit-il.

– C'est ce qui est arrivé à la pauvre Lucy.

– Ah ! Vous êtes toujours mon meilleur élève ! Maintenant que vous avez fait le premier pas, vous allez comprendre. Donc, vous pensez que ces petites blessures à la gorge de l'enfant ont la même origine que celles que nous avons vues à la gorge de miss Lucy ?

– Oui, je suppose…

Il se leva.

– Vous vous trompez, déclara-t-il. La vérité est bien plus terrible, bien plus terrible…

– Pour l'amour de Dieu, professeur, que voulez-vous dire ?

Il se laissa tomber sur une chaise et se couvrit le visage des deux mains cependant qu'il m'avouait :

– Ces enfants ont été victimes de miss Lucy elle-même !

XV

Journal du Dr. Seward (suite)

Je frappai du poing sur la table en demandant :

– Est-ce que vous devenez fou, professeur ?

Il releva la tête, me regarda, et la tendresse que je lus dans ses yeux me calma aussitôt.

– Que ne le suis-je ! dit-il lentement. La folie serait beaucoup plus facile à supporter qu'une vérité comme celle-ci. Ce soir, je vous prouverai qu'il faut y croire. Oserez-vous venir avec moi ?

Il vit que j'hésitais et poursuivit :

– Voici ce que je vous propose. (Il prit une clef dans sa poche, qu'il remua légèrement du bout des doigts.) Nous irons, vous et moi, passer la nuit dans le cimetière où Lucy repose. Voici la clef qui ferme le tombeau. Le fossoyeur me l'a donnée afin que je la remette à Arthur.

Il faisait nuit quand nous nous retrouvâmes dans la rue. De toute évidence, le professeur avait étudié le chemin que nous devions suivre, car il avançait sans la moindre hésitation. Parvenus au mur du cimetière, nous l'escaladâmes. Non sans quelque difficulté, nous trouvâmes le tombeau de la famille Westenra. Le professeur tira la clef de sa poche, ouvrit la porte grinçante, puis prit dans sa trousse une boîte d'allumettes et un morceau de bougie qui devait nous éclairer. Le tombeau, lorsque nous l'avions vu dans la journée garni de fleurs fraîches, donnait déjà le frisson ; mais, maintenant, le spectacle passait en sombre horreur tout ce que l'imagination eût pu concevoir. Van Helsing se pencha à nouveau sur son sac et, cette fois, y prit un tournevis.

– Qu'allez-vous faire ? demandai-je.

– Ouvrir le cercueil. Alors, peut-être, vous me croirez !

Il se mit à dévisser le couvercle, puis l'enleva. Il prit dans son sac une petite scie. Enfonçant le tournevis dans le plomb, il y fit un trou assez grand pour y introduire la pointe de la scie. Il scia le cercueil d'un côté, puis en travers, puis de l'autre côté. Retirant alors la partie détachée, il me fit signe d'approcher.

J'avançai de quelques pas, je regardai : le cercueil était vide. Le choc pour moi fut considérable, mais Van Helsing, lui, demeura impassible. Plus que jamais, il savait qu'il avait raison.

Incapable de m'endormir, j'ai relaté ces faits ; mais je vais malgré tout essayer d'avoir quelques heures de sommeil, car Van Helsing doit venir me prendre à midi. Il veut que je l'accompagne dans une autre expédition.

27 septembre – Il était deux heures passées quand enfin nous avons pu risquer cette seconde tentative. Un enterrement, prévu pour midi, venait de se terminer et nous vîmes le fossoyeur qui refermait la grille avant de partir. Van Helsing prit la clef, ouvrit la porte du caveau. L'endroit ne paraissait pas aussi affreusement lugubre que pendant la nuit, et pourtant, quel air misérable lui donnait le faible rayon de soleil qui y pénétrait par l'entrebâillement de la porte ! Van Helsing s'approcha du cercueil de Lucy, et je fis de même. Se penchant, de nouveau il retira la partie du cercueil de plomb qu'il avait sciée ; alors, quelle ne fut pas, encore une fois, ma surprise, mêlée d'horreur ! Lucy était étendue là, telle exactement que nous l'avions vue la veille de son enterrement, et même, chose étrange, d'une beauté plus radieuse que jamais. Les lèvres étaient aussi rouges, non, plus rouges que de son vivant, et les joues délicatement colorées.

– Vous êtes convaincu ? me dit Van Helsing.

Et, tout en parlant, il tendit la main vers la morte. D'un geste qui me fit frémir, il releva les lèvres, découvrit les dents blanches.

– Regardez, reprit-il : elles sont devenues plus pointues. C'est avec celles-ci – et il touchait les canines – qu'elle a mordu les enfants. Vous ne pouvez plus en douter maintenant, n'est-ce pas, mon cher John ?

– Peut-être est-on venu rapporter ici son corps depuis la nuit dernière ?

– Ah oui ? Et qui donc, je vous prie ? En outre, elle est morte depuis une semaine. La plupart des morts, après autant de jours, auraient pris une autre apparence !

À cela, je ne sus que répondre ; Van Helsing regardait attentivement le visage de la morte, soulevait les paupières, examinait les yeux. Il se tourna vers moi :

– Nous nous trouvons en présence d'un dédoublement de la vie que l'on ne rencontre pas souvent. Cette jeune fille avait été mordue par le vampire alors qu'elle était en état d'hypnose, de somnambulisme... Oh ! vous sursautez !... Il est vrai que cela, vous l'ignoriez, mon cher John, mais je vous expliquerai plus tard... Et c'est lorsqu'elle était dans un état d'hypnose qu'il devait revenir lui sucer plus de sang encore. C'est toujours en transe qu'elle est morte, et en transe qu'elle est devenue une non-morte. C'est en cela qu'elle ne ressemble pas aux autres. Rien ici ne semble porter la marque du Malin, et c'est pourquoi ce m'est un si dur devoir de la tuer pendant qu'elle dort.

Je sentis mon sang se figer.

– Je vais lui couper la tête et remplir sa bouche d'ail, puis je lui enfoncerai un pieu dans le corps.

Je frémissais à cette idée. Toutefois, mon émotion n'était pas telle que je l'aurais cru. Cette non-morte, comme l'appelait Van Helsing, me devenait exécrable. Un temps qui me sembla interminable se passa. Van Helsing restait là, immobile, absorbé dans ses pensées. Finalement, il ferma son sac d'un geste sec, et dit :

– J'ai réfléchi, il faut agir pour le mieux. Si je suivais mon inclination, je ferais immédiatement ce qui doit être fait. Mais il faut penser aux conséquences. Retournez soigner vos malades. Moi, je reviendrai passer la nuit ici, dans ce cimetière. Et, demain soir à dix heures, vous viendrez me chercher au *Berkeley Hotel*. Je vais écrire un mot à Arthur pour lui demander d'y venir également, de même qu'à ce jeune Américain. Tous, nous aurons beaucoup à faire... Je vous accompagne jusqu'à Piccadilly où nous mangerons un morceau, car je veux être de retour ici avant le coucher du soleil.

Nous refermâmes à clef la porte du tombeau ; puis nous nous dirigeâmes vers le mur du cimetière, que nous eûmes tôt fait d'escalader, et nous reprîmes le chemin de Piccadilly.

Journal du Dr. Seward

29 septembre au matin – Hier soir, un peu avant dix heures, Arthur et Quincey sont entrés dans la chambre de Van Helsing. Le professeur nous a dit ce qu'il attendait de chacun de nous, mais il s'est tout spécialement adressé à Arthur, comme si nos volontés dépendaient de la sienne. Il commença par exprimer l'espoir que tous trois nous voudrions bien l'accompagner, « car, précisa-t-il, nous avons à remplir là-bas un devoir aussi sacré que pénible ».

– Je voudrais que vous me donniez la permission de faire cette nuit ce que je juge bon de faire, et que vous me donniez cette autorisation en restant dans l'ignorance de ce que je vais faire afin que, ensuite, si même vous m'en vouliez – chose qui me paraît très possible –, vous n'ayez rien à vous reprocher.

– Entendu ! promit Arthur. Et maintenant, puis-je vous demander ce que nous devons faire ?

– Je voudrais que, dans le plus grand secret, vous veniez avec moi au cimetière de Kingstead.

Le visage d'Arthur s'allongea :

– Au cimetière où la pauvre Lucy est enterrée ?

Le professeur fit signe que oui.

– Et alors ? reprit Arthur.

– Alors ? Nous entrerons dans le tombeau.

L'autre se leva.

– Docteur Van Helsing, parlez-vous sérieusement ?... Pardonnez-moi, je vois que vous parlez sérieusement.

Il se rassit, mais il restait visiblement sur son quant-à-soi. Il y eut un silence, puis Arthur interrogea à nouveau.

– Et quand nous serons dans le tombeau ?

– Nous ouvrirons le cercueil.

– C'en est trop ! s'écria Arthur en se levant, et cette fois avec colère. Je veux bien être patient tant que nous demeurons dans le domaine du raisonnable ; mais ceci... cette profanation...

L'indignation l'empêcha de poursuivre. Van Helsing resta silencieux un moment, puis reprit :

– Miss Lucy est morte, n'est-ce pas ? Dans ce cas, rien ne peut lui nuire. Pourtant, si elle n'est pas morte...

Arthur, d'un bond, se leva.

– Grand Dieu ! s'écria-t-il. Que voulez-vous donc dire ? L'a-t-on enterrée vive ?

– Je n'ai pas dit qu'elle vivait, mon garçon ; et je ne le pense pas. J'ai simplement dit qu'il se pourrait qu'elle fût une non-morte.

– Non-morte ! Qu'est-ce que tout cela signifie ?

– Il y a des mystères que l'esprit ne fait qu'entrevoir. Mais je continue, si vous le permettez. Puis-je couper la tête à feu miss Lucy ?

– Par le ciel et la terre ! s'écria Arthur avec colère. Je ne consentirai jamais à ce qu'on mutile son cadavre ! Dès maintenant, ne pensez plus pouvoir profaner cette tombe ! J'ai le devoir de la protéger, et Dieu m'est témoin que je remplirai ce devoir !

Van Helsing quitta le fauteuil où il était resté assis pendant tout ce temps et répondit très sérieusement :

– Moi aussi, lord Godalming, j'ai un devoir à remplir : un devoir envers vous-même, un devoir envers la morte. Tout ce que je vous demande pour le moment, c'est de m'accompagner là-bas afin que vous puissiez voir et écouter. Et si, plus tard, je vous adresse encore la même requête, et que vous ne soyez pas impatient d'y répondre, alors… alors, je ferai mon devoir, quel qu'il m'apparaisse.

Il y avait, dans la manière dont il parlait, une douce et grave fierté, et je compris qu'Arthur en était profondément ému ; il prit la main de Van Helsing et dit d'une voix brisée :

– Je vais vous accompagner au cimetière.

XVI

Journal du Dr. Seward (suite)

Il était minuit moins un quart lorsque nous escaladâmes le mur bas du cimetière. Lorsque nous fûmes près du tombeau, le professeur fit tourner la clef dans la serrure, ouvrit la porte et, voyant que chacun de nous avait un mouvement d'hésitation, résolut la difficulté en entrant le premier. Nous le suivîmes, et il referma la porte. Il alluma alors une lanterne et montra le cercueil. Toujours hésitant, Arthur avança, tandis que Van Helsing s'adressait à moi.

– Vous étiez ici avant-hier, avec moi. Le corps de miss Lucy était-il dans ce cercueil ?

– Oui, répondis-je.

Il se tourna alors vers les autres :

– Vous entendez, leur dit-il.

Il prit son tournevis, enleva le couvercle du cercueil. Arthur regardait, très pâle, mais ne disait rien. Dès que le couvercle fut retiré, il approcha plus près encore. Le sang lui monta un instant au visage, mais, presque aussitôt, il redevint blême. Van Helsing souleva le morceau de plomb. Le cercueil était vide !

Pendant plusieurs minutes, personne ne prononça un mot. Ce fut Quincey Morris qui rompit le silence :

– Professeur, fit-il, j'ai confiance en vous. Votre parole me suffit. Est-ce vous qui avez fait cela ?

– Je vous jure par tout ce que j'ai de plus sacré que je ne l'ai pas enlevée d'ici, que je n'y suis absolument pour rien. Jusqu'ici, les choses sont fort étranges. Venez vous cacher avec moi non loin d'ici et vous verrez des choses beaucoup plus étranges encore.

Il ouvrit la porte ; l'un après l'autre, nous passâmes devant lui qui sortit le dernier et, derrière lui, referma la porte à clef. Arthur se taisait ; moi-même, je me sentais plutôt patient, prêt à accepter les conclusions de Van Helsing. Quincey Morris, lui, restait impassible, à la façon d'un homme qui admet tout ce qu'on lui dit, mais l'admet avec un esprit méfiant. Quant à Van Helsing, il prit dans son sac une matière qui ressemblait à un biscuit mince et qui était soigneusement enveloppée dans une serviette blanche ; puis deux poignées d'une substance blanchâtre – de la pâte, eût-on dit. Il émietta le biscuit et, entre ses mains le travaillant avec la pâte, n'en fit qu'une seule masse. Ensuite, il découpa celle-ci en bandes minces, qu'il roula pour les placer l'une après l'autre dans les interstices tout autour de la porte du tombeau. Cela n'allait pas sans m'étonner, et je lui demandai ce qu'il faisait.

– Je ferme le tombeau, me répondit-il, afin que la non-morte ne puisse pas y rentrer.

– Et c'est cette sorte de pâte qui l'en empêchera ? fit Quincey. Vraiment, on dirait que vous jouez !

– Mais de quoi vous servez-vous donc ?

C'était Arthur qui venait de poser cette question.

Van Helsing se découvrit en signe de respect, tandis qu'il répondait :

– L'Hostie. Je l'ai apportée d'Amsterdam.

Chacun sentit que, devant un dessein aussi grave du professeur – un dessein qui l'amenait à se servir de la chose la plus sacrée –, il était impossible de douter encore. Au milieu d'un silence par lequel, à notre tour, nous témoignions tout le respect que nous éprouvions, nous allâmes chacun prendre la place que Van Helsing nous avait désignée autour du tombeau, mais où il était impossible à quiconque de nous apercevoir.

Notre silence dura longtemps – silence profond, douloureux –, puis enfin le professeur attira notre attention : « Sh... sh... sh... ! » Et du doigt, il nous montrait, venant de l'allée des ifs et s'avançant vers nous, une silhouette blanche, encore assez indistincte. Elle fut bientôt assez près de nous pour que nous la distinguions clairement, et la lune brillait toujours. Je sentis mon cœur se glacer et, au même moment, j'entendis le cri d'horreur étouffé d'Arthur : nous venions de reconnaître les traits de Lucy Westenra. Lucy Westenra, mais à quel point changée ! La douceur que nous lui avions connue était remplacée par une expression dure et cruelle et, au lieu de la pureté, son visage était marqué de voluptueux désirs. Van Helsing quitta sa cachette et, faisant de même, nous avançâmes jusqu'à la porte du tombeau, devant laquelle nous nous rangeâmes tous les quatre.

Van Helsing éleva sa lanterne, dont la lumière éclaira le visage de Lucy ; ses lèvres étaient écarlates, tout humides de sang frais dont un filet avait coulé sur son menton et souillé son vêtement immaculé de morte. À nouveau, l'horreur nous fit frémir. À la lumière vacillante de la lanterne, je sus que même les nerfs d'acier de Van Helsing avaient cédé. Arthur se trouvait à côté de moi et, si je ne lui avais pas saisi le bras, il serait tombé.

Quand Lucy – j'appelle Lucy cette chose qui était devant nous, puisqu'elle avait la forme de Lucy – nous vit, elle recula en laissant échapper un grognement furieux. Cependant, elle avançait toujours en disant avec des gestes pleins de grâce et de volupté :

– Venez avec moi, Arthur. Venez, ô mon mari !

Il y avait dans sa voix une douceur démoniaque qui résonnait dans notre cerveau à chacun, tandis que nous écoutions les paroles qu'elle adressait à Arthur. Celui-ci, à la vérité, paraissait subir un charme : se découvrant le visage, il ouvrit tout grands les bras. Elle allait s'y réfugier, quand Van Helsing, d'un bond, fut entre eux, sa petite croix d'or à la main. Elle recula aussitôt et, les traits soudain convulsés de rage, elle passa à côté du professeur en se précipitant vers le tombeau, comme si elle voulait y entrer.

Mais, lorsqu'elle fut à un ou deux pieds de la porte, elle s'arrêta, une force irrésistible l'empêchant d'aller plus loin. Elle se retourna vers nous, le visage parfaitement éclairé par les rayons de la lune. Jamais je n'avais vu sur un visage une telle expression, tout à la fois de rancune et de dépit, et personne, je l'espère, n'en verra jamais de semblable.

Ainsi donc, pendant une demi-minute qui nous parut une éternité, elle resta là, entre la croix que Van Helsing gardait toujours levée et sa tombe dont l'Hostie lui interdisait l'entrée. Le professeur mit fin au silence en demandant à Arthur :

– Dites, mon ami... Répondez-moi : dois-je poursuivre mon œuvre ?

L'autre s'agenouilla et dit :

– Faites comme vous l'entendez... Il n'y aura jamais rien de plus horrible que ceci.

Van Helsing posa la lanterne à terre ; puis, allant à la porte du tombeau, il se mit à enlever les parcelles du Signe sacré qu'il avait placées çà et là. Alors, quand il se retira, nous vîmes, terrifiés, cette femme, dont le corps était aussi tangible que le nôtre, passer à travers un interstice où il eût été difficile d'introduire une lame de couteau. Nous éprouvâmes un sentiment de soulagement lorsque, avec calme, le professeur replaça autour de la porte des bandes de la fameuse pâte. Cela fait, il nous dit :

– Maintenant, venez, mes amis ; nous ne pouvons plus rien jusqu'à demain.

Je ramenai Arthur et Quincey chez moi et, sur le chemin du retour, nous essayâmes de nous rendre du courage les uns aux autres. Tous trois, nous dormîmes plus ou moins bien.

29 septembre, au soir – Avant deux heures, Arthur, Quincey et moi passâmes prendre le professeur à son hôtel. Dès une heure et demie, nous arrivions au cimetière. Van Helsing avait remplacé son petit sac noir par un sac de cuir de forme allongée ; et on devinait qu'il était très lourd.

Nous suivîmes le professeur qui se dirigeait vers le tombeau. Il ouvrit la porte, et, dès que nous fûmes entrés, nous la refermâmes derrière nous. Il prit dans son sac la lanterne, qu'il alluma, ainsi que deux bougies ; elles donnaient la lumière dont il avait besoin pour procéder à son travail. Quand, une fois de plus, il enleva le couvercle du cercueil de Lucy, tous nous regardâmes aussitôt – Arthur tremblant comme une feuille – et nous vîmes que le corps gisait là, dans toute sa beauté. Mais, dans mon cœur, il n'y avait plus place pour l'amour ; seule la haine l'habitait, la haine que m'inspirait cette chose odieuse qui avait pris la forme de Lucy sans rien garder de son âme. Je vis que même le visage d'Arthur se fermait. Bientôt, il demanda à Van Helsing :

– Est-ce là vraiment le corps de Lucy, ou seulement un démon qui a pris sa forme ?

– C'est son corps et ce n'est pas son corps. Mais attendez un moment, et vous allez la voir telle qu'elle était, et telle qu'elle est encore réellement.

Méthodiquement, Van Helsing se mit à retirer de son sac des instruments divers. D'abord, il prit un fer à souder et un peu de soudure maigre, puis une petite lampe à huile qui, une fois allumée dans un coin du caveau, dégagea un gaz dont la flamme bleue donna une forte chaleur, puis les instruments mêmes qui devaient lui servir à l'opération, enfin un pieu en bois, cylindrique, épais d'environ trois pouces et long d'environ trois pieds. Il présenta au feu le bout de ce pieu, puis il le tailla en une pointe très fine. Un gros marteau fut enfin retiré du sac.

Van Helsing nous dit alors :

– Avant de commencer quoi que ce soit, laissez-moi vous expliquer ce dont il s'agit. Cet état de non-mort est lié à la malédiction d'immortalité. La mort est refusée à ces êtres, et ils doivent, de siècle en siècle, faire de nouvelles victimes et multiplier les maux de la terre ; car quiconque meurt ayant été la proie d'un non-mort devient à son tour non-mort et, à son tour, fait sa proie de son prochain. De sorte que le cercle va toujours s'élargissant, comme les cercles qu'une pierre jetée dans l'eau forme à la surface de cette eau. Arthur, mon ami, si vous aviez embrassé Lucy quelques instants avant sa mort, comme vous en aviez le désir, ou si, l'autre nuit, vous l'aviez prise dans vos bras, vous seriez devenu, à l'heure de votre mort, un *nosferatu*, comme on dit en Europe orientale, et, les années passant, vous auriez fait de plus en plus de ces non-morts qui nous remplissent d'horreur.

Tous, nous regardions Arthur. Il s'avança et dit d'une voix ferme, encore que sa main tremblât et que son visage fût blême :

– Dites-moi ce que je dois faire, et je vous obéirai sans défaillir.

– Brave garçon ! Il vous faudra un moment de courage, un seul, et tout sera fini ! Il s'agit de lui passer ce pieu à travers le corps... Épreuve terrible, je vous le répète, mais elle sera brève et, ensuite, votre bonheur sera d'autant plus grand que votre douleur était immense. Prenez ce pieu de la main gauche, la pointe placée sur le cœur, et le marteau de la main droite. Quand nous commencerons à réciter la prière des morts – c'est moi qui la lirai : j'ai apporté le livre ; les autres me répondront –, frappez, au nom de Dieu, afin que notre chère morte repose en paix, et que la non-morte disparaisse à jamais !

Arthur prit le pieu et le marteau. Van Helsing ouvrit le missel, commença à lire ; Quincey et moi lui répondîmes de notre mieux. Arthur plaça la pointe du pieu sur le cœur de Lucy, et je vis qu'elle commençait à s'enfoncer légèrement dans la chair blanche. Alors, avec le marteau, Arthur frappa de toutes ses forces.

Le corps, dans le cercueil, se mit à se tordre en d'affreuses contorsions ; un cri rauque s'échappa des lèvres rouges ; les dents pointues s'enfoncèrent dans les lèvres au point de les couper, et elles se couvrirent d'une écume écarlate. Mais, à aucun moment, Arthur ne perdit courage. Son bras ferme s'élevait et retombait, enfonçant de plus en plus le pieu miséricordieux, et le sang jaillissait du cœur percé et se répandait tout autour. La résolution était peinte sur son visage, comme s'il était certain d'accomplir un devoir sacré.

Peu à peu, les contorsions s'espacèrent. Finalement,

ce fut l'immobilité complète. La terrible tâche était terminée. Là, dans le cercueil, ne gisait plus l'horrible non-morte que nous avions fini par redouter et par haïr à un tel point que le soin de la détruire avait été accordé comme un privilège à celui d'entre nous qui y avait le plus de droits ; c'était Lucy comme nous l'avions connue de son vivant, avec son visage d'une douceur et d'une pureté sans pareilles. Van Helsing vint poser sa main sur l'épaule d'Arthur, et il lui demanda :

– Maintenant, dites-moi, mon ami, est-ce que vous me pardonnez ?

Alors seulement, quand il prit dans la sienne la main du vieux professeur, Arthur réagit à l'effort presque inimaginable qu'il avait dû fournir. Cette main, il la porta à ses lèvres, la baisa longuement, puis il s'écria :

– Dieu vous bénisse, vous qui avez rendu son âme à ma bien-aimée, et à moi la paix !

Puis, nous les fîmes sortir du tombeau, Quincey et lui. Alors, j'aidai le professeur à scier le haut du pieu, laissant la pointe enfoncée dans le corps. Nous coupâmes la tête et remplîmes la bouche d'ail. Enfin, le cercueil de plomb étant soudé, et le couvercle du cercueil de bois, vissé à nouveau, nous rassemblâmes tous les outils et sortîmes à notre tour. Lorsque le professeur eut refermé la porte à clef, il remit celle-ci à Arthur.

XVII

Journal du Dr. Seward (suite)

Lorsque nous arrivâmes au *Berkeley Hotel*, un télégramme y attendait Van Helsing :

« *J'arrive par le train. Jonathan est à Whitby. Nouvelle importante.*

« *Mina Harker.* »

Le professeur était ravi.

– Ah ! Cette étonnante Mme Mina ! fit-il. Mais, moi, il m'est impossible de l'attendre. Il faudra qu'elle aille chez vous, mon cher John.

Il prit une tasse de thé, tout en me parlant du journal qu'avait tenu Jonathan Harker lors de son séjour à l'étranger ; il m'en donna une copie dactylographiée, de même qu'une copie du journal de Mrs. Harker – journal écrit à Whitby.

– Emportez-les, me dit-il, et lisez-les très attentivement.

Il se prépara alors à partir. De mon côté, je pris le chemin de Paddington, où je devais rencontrer Mrs. Harker. J'y fus un quart d'heure environ avant l'arrivée du train. La foule commençait à se disperser, quand une jeune femme, jolie, délicate, s'avança vers moi et me demanda, après m'avoir dévisagé d'un rapide coup d'œil :

– Docteur Seward, n'est-ce pas ?

Et elle me tendit la main.

– Je vous ai reconnu d'après le portrait que la pauvre chère Lucy…

Elle s'interrompit en rougissant. Je me sentis rougir moi-même, ce qui nous mit à l'aise tous les deux, car c'était comme une réponse tacite à ce qu'elle venait de rappeler.

– Mrs. Harker ? fis-je à mon tour.

Nous arrivâmes chez moi à l'heure prévue. Mrs. Harker savait qu'il s'agissait d'une maison d'aliénés ; toutefois, je vis parfaitement qu'elle ne put s'empêcher de frissonner tandis que nous franchissions le seuil.

Journal de Mina Harker

29 septembre – Dès que j'eus fait un brin de toilette, je descendis au cabinet du Dr. Seward. Il était seul ; mais je vis sur sa table, devant lui, ce que je devinai tout de suite être un phonographe : je n'en avais jamais vu encore – seulement on m'avait décrit l'appareil. Et je fus vivement intéressée.

– J'espère que je ne vous ai pas fait attendre, dis-je.

– Oh ! répondit-il, j'enregistrais mon journal.

– Votre journal ?

– Oui, ici, dit-il en posant la main sur le phonographe.

– Quoi ? m'écriai-je avec enthousiasme, mais c'est bien mieux encore que la sténographie ! Puis-je entendre quelque chose ?

– Certainement, répondit-il avec empressement.

Il se levait déjà pour mettre l'appareil en marche, mais il n'en fit rien et il parut soudain contrarié.

– C'est que, reprit-il en hésitant, je n'ai, jusqu'ici, enregistré que mon journal ; et comme celui-ci ne concerne que mes malades... ou à peu près... il serait peut-être gênant...

Il n'acheva point, et j'essayai de le tirer d'embarras.

– Vous avez assisté Lucy dans ses derniers moments, lui dis-je. Faites-moi entendre ce qui concerne sa mort. Elle était ma plus chère amie.

Il me répondit, l'horreur peinte sur le visage :

– Vous faire entendre ce qui s'est passé lors de sa mort ? Pas pour un empire !

– Vous ne me connaissez pas, fis-je. Lorsque vous aurez lu mon propre journal et celui de mon mari, vous saurez mieux qui je suis.

Alors le Dr. Seward se leva et alla ouvrir un grand tiroir où étaient rangés plusieurs cylindres de métal, creux et recouverts de cire noire :

– Prenez ces cylindres, dit-il, et écoutez ce qu'ils ont à vous raconter. De mon côté, je vais lire ces documents, afin de comprendre mieux certaines choses...

Lui-même porta le phonographe dans le petit salon attenant à ma chambre et le mit en marche...

Journal du Dr. Seward

29 septembre – Je venais de lire la dernière ligne du journal de Mrs. Harker, quand celle-ci entra. À présent elle avait l'air très triste, et les yeux rouges.

– J'ai bien peur de vous avoir fait beaucoup de peine, lui dis-je lentement.

– Non... fit-elle. J'ai transcrit vos récits à la machine. Dans la lutte que nous allons entreprendre pour débarrasser la terre de ce monstre, il nous est indispensable d'avoir le plus d'éléments et le plus de détails possible.

30 septembre – Mr. Harker est arrivé à neuf heures ; il avait reçu un télégramme de sa femme. À le voir, on devine que c'est un homme extraordinairement intelligent, et énergique. Si son journal dit vrai, il est également très courageux.

Plus tard – Après le repas, Harker et sa femme sont remontés dans leur chambre et, comme je passais devant leur porte, j'ai entendu qu'on tapait à la machine. Ils mettent bout à bout, et dans un ordre chronologique, les moindres bribes de preuves qu'ils possèdent. Harker détient maintenant les lettres échangées entre ceux qui ont reçu les caisses à Whitby et le cabinet Carter, Paterson & Co. de Londres. Il se propose de lire la transcription dactylographiée que sa femme a faite de mon journal. Je me demande s'ils y trouveront quelque chose qui puisse nous éclairer.

Chose étrange, il ne m'était jamais venu à l'esprit que cette maison, dont le parc touche au nôtre, pouvait être celle qui sert de refuge au comte ! Dieu sait pourtant que le comportement de Renfield aurait dû nous mettre sur la voie. À présent, nous sommes également en possession des lettres relatives à l'achat de la maison. Si nous les avions eues quelques jours plus tôt, nous aurions pu sauver la pauvre Lucy !

Journal de Jonathan Harker

29 septembre – J'écris dans le train qui me ramène à Londres. Quand Mr. Billington me fit aimablement savoir qu'il était prêt à me donner tous les renseignements qu'il possédait, je pensai que le mieux, pour moi, était de me rendre à Whitby. Le fils Billington, un charmant garçon, m'attendait à la gare. Mr. Billington avait préparé tous les papiers concernant l'expédition des caisses. Je tressaillis quand je reconnus une des lettres que j'avais vues sur la table du comte, à l'époque où j'ignorais encore ses plans diaboliques. J'eus la facture sous les yeux et je remarquai tout particulièrement qu'il y était écrit : *Cinquante caisses de terre ordinaire, destinée à certaines expériences* ; mon hôte me montra également la copie de la lettre adressée à Carter, Paterson & Co., ainsi que la réponse de cette firme ; et de ces deux lettres, il me remit une copie. Je suis maintenant certain d'une chose : toutes les caisses arrivées de Varna à Whitby à bord de la *Demeter* furent bien amenées dans la vieille chapelle de Carfax. Il doit y en avoir cinquante, à moins que, depuis lors, on ne soit venu en reprendre quelques-unes.

Journal de Mina Harker

30 septembre – Lord Godalming et Mr. Morris sont arrivés plus tôt que nous ne les attendions. C'est moi qui les accueillis. Les pauvres, ils ignorent que je sais qu'ils avaient l'un et l'autre demandé Lucy en mariage ! Je leur expliquai que mon mari et moi nous avions lu tous les documents, les avions transcrits à la machine et rassemblés. Et je leur en donnai à chacun une copie afin qu'ils aillent la lire dans la bibliothèque.

XVIII

Journal du Dr. Seward

Quand je rentrai à cinq heures, non seulement Godalming et Morris étaient arrivés, mais déjà ils avaient pris connaissance des divers journaux et lettres que Harker et son étonnante femme avaient recopiés et classés. Harker, lui, n'était pas encore revenu ; il était allé chez les camionneurs dont le Dr. Hennessey m'avait parlé dans sa lettre.

Lorsque nous eûmes pris le thé, Mrs. Harker s'adressa à moi :

– Docteur Seward, puis-je vous demander une faveur ? Je voudrais voir ce malade, Mr. Renfield. Ce que vous dites de lui dans votre journal m'intéresse tellement !

Il m'était impossible de lui refuser cela. Je l'emmenai donc voir Renfield. Lorsque j'entrai dans sa chambre, je dis à mon patient qu'une dame désirait le voir ; à quoi il répondit :

– Pourquoi ?

– Cette dame visite l'établissement, expliquai-je, et elle voudrait s'entretenir un moment avec tous les pensionnaires l'un après l'autre.

– Très bien, alors : qu'elle entre ! Mais attendez un instant, que je mette un peu d'ordre ici.

Pour lui, mettre de l'ordre dans la chambre, c'était

avaler toutes les mouches et toutes les araignées que contenaient ses nombreuses boîtes. Une fois terminée sa tâche répugnante, il dit sur un ton joyeux :

– Introduisez cette dame !

Elle entra dans la chambre et alla tout de suite à lui, souriante et la main tendue.

– Bonsoir, monsieur Renfield, lui dit-elle. Le Dr. Seward m'a parlé de vous.

Mrs. Harker tenta de le faire parler de son sujet préféré. Il le fit avec l'impartialité d'un homme en pleine possession de ses facultés mentales.

– Eh bien, vous voyez en moi un être fort étrange. Il n'est pas surprenant que les miens m'aient fait mettre sous surveillance. Je me figurais que, en engloutissant une multitude d'êtres vivants – même s'ils se trouvent tout au bas de l'échelle de la création –, on peut prolonger indéfiniment la vie. Le docteur vous dira comme moi que j'ai essayé un jour de le tuer dans l'intention d'augmenter mes forces vitales en m'assimilant sa vie par le moyen de son sang – me souvenant des paroles de l'Écriture : « Car le sang est la vie. »

J'acquiesçai d'un signe de tête, trop stupéfait pour trouver à dire ou même à penser quoi que ce fût. Se pouvait-il que, cinq minutes seulement auparavant, j'eusse vu cet homme manger ses mouches et ses araignées ?… Je consultai ma montre : il me fallait aller chercher Van Helsing à la gare. J'avertis donc Mrs. Harker qu'il était temps de nous retirer. Elle se leva aussitôt pour me suivre, mais auparavant elle dit gaiement à Renfield :

– J'espère que je vous verrai souvent, dans des circonstances plus favorables !

À quoi il répondit, pour mon étonnement final :

– Au revoir, ma chère... ou, plutôt, Dieu fasse que je ne revoie jamais plus votre charmant visage. Qu'il vous bénisse et vous protège !

Je partis donc chercher Van Helsing à la gare. Il sauta du wagon avec l'agilité d'un jeune homme. Se précipitant vers moi, il me dit :

– Ah ! John, j'ai beaucoup travaillé, avec l'intention de rester ici un certain temps, si cela est nécessaire, et j'ai beaucoup de choses à vous apprendre. Mme Mina est chez vous ? Oui ! Et son admirable mari ? Et Arthur ? Et mon ami Quincey ? Ils sont tous chez vous, eux aussi ? Parfait !

En chemin, je lui racontai tout ce qui s'était passé depuis son départ, et comment mon propre journal, sur la suggestion de Mrs. Harker, avait servi maintenant à quelque chose.

– Ah ! l'étonnante Mme Mina ! Mon cher John, jusqu'à présent la chance a voulu que cette femme nous aide ; seulement, passé cette soirée, elle ne devra plus être mêlée à cette horrible histoire. Elle court un trop grand risque. Nous, nous sommes décidés à détruire ce monstre ; mais ce n'est pas le rôle d'une femme.

Je l'approuvai entièrement, et l'informai alors de ce

dont nous nous étions aperçus pendant son absence : la maison achetée par Dracula était celle-là même qui se trouvait à côté du parc de notre établissement. Van Helsing montra un réel étonnement et parut en même temps fort soucieux.

– Que ne l'avons-nous su plus tôt ! s'écria-t-il. Nous l'aurions pris à temps, et nous aurions sauvé la pauvre Lucy ! Enfin, à chose accomplie point de remède, n'y pensons plus, mais essayons d'atteindre notre but !

Il se tut, et ce silence dura jusqu'à ce que nous fussions arrivés.

Nos notes sont entièrement mises en ordre. Le professeur en emporta un jeu complet afin de l'étudier après le dîner, en attendant notre réunion fixée pour huit heures.

Journal de Mina Harker

30 septembre – Deux heures après le dîner qui avait eu lieu à six heures, nous nous retrouvâmes dans le bureau du Dr. Seward. Le professeur Van Helsing prit la parole.

– Si je ne me trompe, dit-il, nous sommes tous au courant des faits relatés dans ces lettres et journaux personnels.

Nous l'en assurâmes, et il reprit :

– Cela étant, je crois utile de vous dire à quel

genre d'ennemi nous avons affaire. Je vais vous expliquer certains points de l'histoire de cet homme, dont je suis maintenant absolument sûr. Ensuite, nous examinerons ensemble quelle peut être la meilleure façon d'agir, et nous prendrons nos mesures en conséquence.

« Sans aucun doute, les vampires existent : certains d'entre nous en ont la preuve ! Hélas ! si j'avais su dès le début ce que je sais maintenant – ou plutôt si j'avais ne fût-ce que deviné à qui nous avions affaire –, cette vie si précieuse de notre chère Lucy aurait été sauvée ! Mais nous l'avons perdue, et, maintenant, tous nos efforts doivent tendre à sauver d'autres pauvres âmes. Il faut savoir que ce *nosferatu* ne meurt pas, comme l'abeille, une fois qu'il a fait une victime. Au contraire, il n'en devient que plus fort ; et, plus fort, il n'en est que plus dangereux. Le vampire possède, à lui seul, la force de vingt hommes ; et tous les morts dont il peut approcher sont à ses ordres. C'est une brute, et pis qu'une brute ; c'est un démon sans pitié, et il n'a pas de cœur ; il peut, avec pourtant certaines réserves, apparaître où et quand il veut et sous l'une ou l'autre forme de son choix ; il a même le pouvoir, dans une certaine mesure, de se rendre maître des éléments : la tempête, le brouillard, le tonnerre, et de se faire obéir de créatures inférieures, telles que le rat, le hibou, la chauve-souris, la phalène, le renard et le loup ; il peut se faire grand ou se rapetisser et, à certains moments, il disparaît exactement comme s'il n'existait plus.

Dans ces conditions, comment devons-nous nous y prendre pour le détruire ? Comment le trouverons-nous et, l'ayant trouvé, comment le ferons-nous périr ? Mes amis, l'entreprise est aussi ardue que terrible, et, à songer aux conséquences qu'elle peut avoir, l'homme le plus courageux frémirait. Pour moi, ce n'est pas de perdre la vie qui me fait peur. Mais notre échec signifierait tout autre chose qu'une question de vie ou de mort : nous deviendrions semblables à lui, des créatures de la nuit comme lui, sans cœur ni conscience, faisant notre proie des corps et des âmes de ceux que nous aimons le plus au monde. Mes amis, vous êtes jeunes. Certains d'entre vous ont déjà connu le chagrin, mais même ceux-là peuvent encore attendre de beaux jours. Que décidez-vous ?

Nous nous regardâmes dans les yeux, mon mari et moi.

– Je réponds pour Mina et pour moi-même, dit Jonathan.

– Comptez sur moi, professeur, fit Mr. Morris.

– Je suis avec vous, répondit de son côté lord Godalming.

Quant au Dr. Seward, il se contenta de faire un signe de tête affirmatif.

Nous nous serrâmes tous la main ; notre pacte solennel était conclu. J'avoue que mon cœur se glaçait ; pas un instant toutefois l'idée ne me vint que je pourrais renoncer à l'entreprise. Le Dr. Van Helsing poursuivit son explication.

– Bon. Vous savez à présent contre quoi nous luttons. Mais, de notre côté, nous ne sommes point dépourvus de force. Nous avons l'avantage du nombre. Nous savons ce que nous devons savoir, nous possédons tous les éléments nécessaires pour agir : le vampire vit sans que le temps qui passe l'amène peu à peu à la mort ; il prospère aussi longtemps qu'il peut se nourrir du sang des vivants ; nous avons pu constater qu'il rajeunit, qu'il devient plus fort, et qu'il semble se refaire quand il trouve en suffisance sa nourriture préférée. Mais il lui faut ce régime ; il ne se nourrit pas comme les autres hommes. Notre ami Jonathan, qui a habité chez lui pendant des semaines entières, ne l'a jamais vu prendre un repas, jamais ! Et son corps ne projette aucune ombre ; son image ne se réfléchit pas dans un miroir, cela aussi Jonathan l'a remarqué. D'autre part, il dispose d'une force extraordinaire. Il peut se changer en loup, ou en chauve-souris. Il peut s'approcher, entouré d'un brouillard que lui-même suscite – l'aventure effroyable de ce courageux capitaine resté à son gouvernail le prouve. Il peut se faire si petit et si mince que, souvenez-vous, miss Lucy, avant de connaître la paix éternelle, s'est glissée par une fente de la largeur d'un cheveu, qui existait dans la porte de son tombeau. Car il lui est donné, une fois qu'il a trouvé son chemin, de sortir de n'importe quoi, d'entrer dans n'importe quoi, et de voir dans l'obscurité, ce qui n'est pas un pouvoir négligeable dans un monde à demi privé de lumière. Mais, ici, suivez-moi bien ! Il est capable de tout cela, oui, et pourtant il n'est pas libre. Il est prisonnier, plus qu'un homme condamné aux galères, plus qu'un fou enfermé dans son cabanon. Aller là où il en aurait envie lui est interdit. Lui qui n'est pas un être selon la nature, il doit cependant obéir à certaines de ses lois – pourquoi, nous n'en savons rien. Toutes les portes ne lui sont pas ouvertes ; il faut au préalable qu'on l'ait prié d'entrer ; alors seulement il peut venir quand il le désire. Son pouvoir cesse, comme d'ailleurs celui de toutes les puissances malignes, dès les premières lueurs de l'aube. Il jouit d'une certaine liberté, mais en des moments précis. S'il ne se trouve pas à l'endroit où il voudrait être, il ne peut s'y rendre qu'à midi, ou au lever, ou au coucher du soleil. Tout cela, la tradition et les livres nous l'apprennent, et nous en trouvons aussi la preuve dans les documents que nous-mêmes avons rassemblés. On dit aussi qu'il ne peut franchir des eaux vives qu'à marée haute ou lorsque la mer est étale. Et puis, il y a des choses qui lui ôtent tout pouvoir, comme l'ail, nous le savons assez ; comme ce symbole, ma petite croix d'or, devant laquelle il recule avec respect et s'enfuit. Il y en a encore d'autres, et il vous faut les connaître, au cas où nous devrions nous en servir au cours de nos recherches : une branche de rosier sauvage, posée sur son cercueil, l'empêche d'en sortir, une balle bénite que l'on tirerait dans son cercueil le tuerait, et il deviendrait alors un mort véritable. Quant au pieu que l'on enfonce dans son cœur, nous savons qu'il lui donne également le repos éternel, repos éternel qu'il connaît de même si on lui coupe la tête. Nous l'avons constaté de nos propres yeux.

« Ainsi donc, en ce qui concerne le comte Dracula, quand nous trouverons la demeure de cet homme, nous pourrons le forcer à rester dans son cercueil, où nous le détruirons. Mais il est rusé, ne l'oublions pas. J'ai demandé à mon ami Arminius, de l'université de Budapest, de me communiquer l'histoire de sa vie. Les Dracula appartenaient à une illustre et noble race, encore que certains d'entre eux, au cours des générations successives, s'il faut en croire les contemporains, aient eu des rapports avec le Malin. Ils se mirent à son école et apprirent ses secrets à Scholomance, dans les montagnes qui dominent le lac de Hermannstadt, où le diable revendique un disciple sur dix comme sa propriété…

« Et maintenant, nous devons décider ce que nous allons faire. Nous savons, d'après l'enquête qu'a menée Jonathan, que cinquante caisses de terre sont venues du château de Dracula à Whitby et que toutes ont été envoyées à Carfax ; mais nous savons également que l'on est venu ensuite en rechercher au moins quelques-unes. À mon avis, il nous faut en premier lieu nous assurer si toutes les autres sont bien restées dans cette maison, ou si on en a encore enlevé. Dans ce cas, nous rechercherons chacune de ces caisses et, quand nous saurons où elles se trouvent, ou bien nous nous emparerons de ce monstre, ou bien nous le tuerons dans un de ses repaires. Ou encore, nous rendrons inefficace la terre contenue dans les caisses afin qu'il n'y soit plus en sûreté. Ainsi, nous le prendrons sous sa forme humaine entre l'heure de midi et le coucher du soleil, nous engagerons la lutte avec lui au moment où il est le plus faible... En ce qui vous concerne, madame Mina, à partir de ce soir, vous ne vous occuperez plus de rien jusqu'à ce que tout soit fini. Vous nous êtes trop précieuse pour vous exposer à de si grands dangers.

Leur résolution était prise et je n'avais qu'à m'incliner – à accepter le chevaleresque souci qu'ils prenaient de ma sécurité.

Mr. Morris intervint alors :

– Je propose que nous allions tout de suite voir ce qui se passe dans cette maison. Quand on a affaire à ce monstre, chaque minute est importante : en agissant rapidement, peut-être l'empêcherons-nous de faire une victime de plus.

Journal du Dr. Seward

1er octobre, 4 h du matin – Juste au moment où nous allions sortir, on vint me demander, de la part de Renfield, si je pouvais le voir immédiatement, car il avait à me dire une chose de la plus haute importance.

– Permettez-moi de vous accompagner, mon cher

John, fit Van Helsing. J'ai pris beaucoup d'intérêt à lire dans votre journal ce que vous dites de son cas, qui n'est pas sans rapport avec le cas dont nous nous occupons.

– Puis-je venir aussi ? demanda lord Godalming.

– Et moi ? fit à son tour Quincey Morris.

– Et moi ? demanda Harker.

D'un signe de tête, je répondis oui.

En effet, Renfield était fort excité, mais je ne l'avais jamais entendu parler avec tant de bon sens. Ce qu'il avait de si urgent à me demander, c'était de le laisser rentrer chez lui. Je me contentai de lui répondre que son état s'améliorait de jour en jour, que j'aurais avec lui une conversation plus longue le lendemain matin et que je verrais alors si je pouvais accéder à sa requête. Cela ne parut pas le satisfaire, car il répliqua aussitôt :

– Je crains, docteur, que vous ne me compreniez pas. Ce que je voudrais, c'est m'en aller tout de suite… Je vous implore ici, non pour des motifs personnels, mais pour le salut d'autrui. Je ne suis pas libre de vous expliquer toutes les raisons qui m'obligent à vous parler de la sorte ; mais soyez assuré qu'elles sont solides, irréfutables, et qu'il n'y entre pas le moindre intérêt personnel.

Je jugeai qu'il était temps de mettre fin à l'entretien, et je me dirigeai vers la porte, en disant simplement :

– Venez, mes amis, nous avons à travailler. Bonsoir, Renfield !

Comme j'allais ouvrir la porte, le malade se précipita vers moi, et je crus un instant qu'il voulait à nouveau me tuer ; mais je me trompais. Il se jeta à genoux, leva les mains vers moi, les tordant en des gestes de supplication, m'exhorta à nouveau en un discours sans fin, cependant que les larmes inondaient son visage.

– Je vous en prie, docteur Seward, je vous en supplie ! Laissez-moi quitter cette maison tout de suite ! Faites-moi accompagner par des gardes munis de fouets et de chaînes ; qu'ils me mettent une camisole de force, des menottes et, aux pieds, des fers, et qu'ils me conduisent en prison... Mais, pour l'amour de Dieu ! laissez-moi sortir d'ici ! En m'obligeant à rester ici, vous ignorez le mal que vous faites, et à qui vous le faites !

– Allons, allons, dis-je sévère. Cela suffit ! Mettez-vous au lit, et essayez de vous calmer !

Interdit, il me regarda quelques instants. Puis, sans un mot, il se releva et il alla s'asseoir sur le bord de son lit. Comme, après avoir fait passer mes compagnons devant moi, j'allais à mon tour sortir de la chambre, il me dit encore, d'une manière calme, polie :

– J'espère, docteur Seward, que vous vous rappellerez plus tard que j'ai fait tout ce que j'ai pu, ce soir, pour vous convaincre.

XIX

Journal de Jonathan Harker

1er octobre, 5 h du matin – Nous étions tous assez impressionnés par notre visite à Mr. Renfield. En sortant de sa chambre, Mr. Morris s'adressa au docteur :

– Ma foi, John, c'est bien le fou le plus raisonnable que j'aie jamais vu !

Lord Godalming et moi ne fîmes aucune remarque, mais le Dr. Van Helsing dit à son tour :

– Mon cher John, vous connaissez mieux que moi les phases étranges par lesquelles passent ces malades, et j'en suis vraiment heureux ; car, je le crains, si ç'avait été à moi à prendre une décision, j'aurais libéré Renfield.

Le Dr. Seward parut leur répondre à tous deux en même temps.

– Sans doute avez-vous raison. mais son comportement semble dépendre à ce point des allées et venues du comte que, en lui passant ses caprices, j'aurais peur de commettre une lourde erreur.

Plus tard, nous nous dirigeâmes vers la maison abandonnée, prenant soin de nous cacher sous les arbres de l'allée chaque fois que le clair de lune apparaissait entre deux nuages. Lorsque nous fûmes arrivés près de la porte, le professeur ouvrit son sac et en sortit toutes sortes d'objets qu'il posa sur le seuil en quatre petits tas séparés – chacun d'eux étant évidemment destiné à chacun de nous.

– Mes amis, dit-il, nous affrontons un grand danger et nous avons besoin d'armes de plusieurs genres. Placez ceci sur votre cœur – et il me tendit une petite croix d'argent, car je me trouvais à côté de lui –, passez-vous ces fleurs autour du cou – et il me donna une guirlande de fleurs d'ail séchées. Prenez aussi ce revolver et ce couteau : on ne sait jamais à quels autres ennemis on peut avoir affaire ; et, à tout hasard, cette petite lampe électrique que vous attacherez au revers de votre veston ; et surtout, par-dessus tout, ceci, que nous ne devrons pas profaner inutilement.

Il tenait un morceau de l'Hostie sainte, qu'il glissa dans une enveloppe avant de me la donner.

Chacun des autres reçut exactement les mêmes « armes ». Nous poussâmes la porte, qui grinça d'un peu partout, mais qui s'ouvrit lentement. Le professeur, le premier, se décida à faire un pas en avant et à entrer dans la maison. Nous prîmes la précaution de refermer la porte derrière nous. Enfin, chacun alluma sa lampe et nos recherches commencèrent.

Partout, la couche de poussière était épaisse. Sur le plancher, elle semblait haute de plusieurs pouces, excepté là où il y avait de récentes traces de pas ; en baissant ma lampe, je vis la marque de gros clous de semelles. Les murs aussi étaient couverts de poussière – on eût presque dit une sorte de duvet sale – ; sur une table du corridor était posé un gros trousseau de clefs dont chacune portait une étiquette jaunie par le temps.

Le professeur prit le trousseau de clefs. Il se tourna vers moi et me dit :

– Vous connaissez cette maison, Jonathan. Vous en possédez les plans. Par où gagne-t-on la chapelle ?

Je croyais bien savoir où elle se trouvait. Après avoir suivi quelques couloirs, nous arrivâmes devant une porte de chêne, basse et voûtée.

– Nous y sommes ! dit le professeur qui, à la lueur de sa lampe, examinait une copie du plan qui m'avait servi au moment de l'achat de la maison.

Après avoir essayé quelques clefs du trousseau, nous trouvâmes celle qui convenait, et nous ouvrîmes la porte. Dès cet instant, nous nous attendîmes à quelque chose de très désagréable, car, par l'entrebâillement, s'exhalait un air malodorant. Après un mouvement de recul involontaire, chacun de nous se mit au travail.

– Avant tout, dit le professeur, il faut voir combien il reste de caisses. Nous allons examiner tous les recoins, et chercher quelque indice qui puisse nous apprendre où l'on a emporté les autres.

Nous eûmes rapidement compté les caisses qui se trouvaient là. Des cinquante, il en restait seulement vingt-neuf ! À un moment donné, je tressaillis de peur, voyant lord Godalming se retourner brusquement pour regarder par la porte restée entrouverte. Je regardai, moi aussi. J'eus l'impression que mon cœur cessait de battre. Il m'avait semblé voir, se détachant dans l'ombre, les yeux flamboyants du comte, son nez aquilin, ses lèvres rouges, et la pâleur effrayante du reste de son visage.

Quelques minutes plus tard, Morris, qui était en train d'examiner un coin de la chapelle, s'en éloigna brusquement. Tous, nous le suivîmes des yeux ; sans aucun doute, la nervosité nous gagnait ; nous aperçûmes une masse phosphorescente, qui scintillait comme des étoiles. D'instinct, nous reculâmes ; et, bientôt, toute la chapelle fut remplie de rats.

Nous restâmes, un moment, véritablement effrayés. Seul, lord Godalming gardait son sang-froid et semblait s'être attendu à pareille chose. Se précipitant vers la lourde porte de chêne, il ouvrit tout grands les battants. Puis, tirant de sa poche un petit sifflet d'argent, il siffla. À cet appel, les chiens qui se trouvaient derrière l'établissement du Dr. Seward répondirent par des aboiements et, pas plus d'une minute plus tard, trois terriers tournèrent le coin de la maison. Les chiens allaient entrer, lorsque, sur le seuil, ils s'arrêtèrent soudain, grondèrent, puis, levant le museau tous en même temps, se mirent à hurler à la mort. Les rats arrivaient maintenant par milliers. Lord Godalming prit l'un des chiens dans ses bras et l'introduisit dans la chapelle. À l'instant où ses pattes touchèrent le plancher, le terrier parut reprendre courage et donna la chasse à ses adversaires naturels. Ceux-ci s'enfuirent si vite qu'il eut à peine le temps d'en tuer une vingtaine, et que les deux autres chiens, entrés de la même manière, cherchèrent en vain leur proie – à part quelques rats qu'ils purent encore attraper.

Les rats disparus, nous eûmes l'impression qu'une présence maligne s'était retirée. Nous nous sentions animés comme d'un nouveau courage. Nous refermâmes la porte, à clef, au verrou et à la chaîne, et notre fouille de la maison commença. Nous n'y vîmes vraiment rien de particulier, sinon, partout, de la poussière en quantité extraordinaire.

Le jour commençait à poindre lorsque nous regagnâmes la porte d'entrée. Le Dr. Van Helsing referma derrière lui et mit la clef dans sa poche.

– Eh bien ! dit-il, nos recherches se sont passées à merveille ! Nous savons maintenant combien il manque de caisses.

Quand nous rentrâmes, on n'entendait rien dans l'établissement endormi, sinon des gémissements venant de la chambre de Renfield. Je suis entré dans notre chambre sur la pointe des pieds ; Mina dormait, respirant si lentement que je dus me pencher sur elle pour entendre son souffle. Elle est plus pâle que d'habitude. Pourvu que la réunion d'hier soir ne l'ait pas trop bouleversée ! Je vais m'étendre sur le sofa, afin de ne pas la déranger dans son sommeil.

Journal de Mina Harker

1er octobre – C'est une impression assez étrange pour moi que d'être tenue dans l'ignorance de tout, comme je le suis aujourd'hui. Je me sens triste et découragée. Je suppose que c'est le contrecoup de toutes ces émotions.

Je ne sais pas très bien à quel moment je me suis endormie hier soir. Je me souviens d'avoir entendu soudain les aboiements des chiens, ainsi que mille petits cris étranges, qui venaient de la chambre de Mr. Renfield, laquelle se trouve sous la mienne. Puis, il se fit partout un silence si profond que j'en éprouvai quelque inquiétude, et je me levai pour aller regarder par la fenêtre. Rien ne bougeait ; tout était lugubre et immobile comme la mort ou le destin, si bien que, lorsqu'une bande de brouillard blanc se déplaça à partir du gazon vers la maison, on eût dit qu'elle seule vivait. Lorsque je me remis au lit, je sentis que je m'assoupissais peu à peu. Je restai étendue, très calme. Cependant, je ne parvenais pas à m'endormir tout à fait, je me relevai, allai de nouveau regarder par la fenêtre. Le brouillard s'étendait et maintenant touchait presque la maison : je le voyais, épais, contre le mur, comme s'il allait monter jusqu'aux bords des fenêtres. Le pauvre Renfield hurlait à présent, il lançait des supplications passionnées. Puis j'eus l'impression qu'on se battait. Je fus si effrayée que je retournai me glisser dans mon lit, me couvris la tête de mes couvertures. À ce moment-là, je n'avais plus du tout sommeil, du moins je le croyais. Pourtant, j'ai dû m'endormir peu après, car, à part certains rêves, je ne me rappelle rien de ce qui s'est passé jusqu'au matin, lorsque Jonathan m'a éveillée. Il m'a fallu un moment et un certain effort, je crois, pour comprendre où je me trouvais et que c'était Jonathan qui se penchait sur moi. Quant à mon rêve, il était singulier, et il montre bien comment nos pensées conscientes se prolongent dans nos rêves ou s'y mêlent confusément. Ce rêve, le voici !

J'étais endormie et j'attendais le retour de Jonathan. Dans mon sommeil, je me sentais mal à mon aise. L'air était lourd, humide et froid tout ensemble. Je rejetais les couvertures, et je m'apercevais que la lumière du gaz n'était plus qu'une petite lueur rouge, à peine visible dans le brouillard qui, de plus en plus épais, entrait dans la pièce. Le brouillard s'épaississait toujours, et je voyais maintenant de quelle manière il entrait – comme de la fumée ou plutôt comme la vapeur de l'eau en ébullition – non pas par la fenêtre, mais par les fentes de la porte. Bientôt on eût dit une colonne de nuages s'élevant au milieu de la chambre, et au sommet de laquelle la lumière de la lampe brillait tel un petit œil rouge. Était-ce une sorte d'avertissement que l'on me donnait dans mon sommeil ? C'était bien le feu qui brillait dans l'œil rouge et, à cette idée, je le trouvais de plus en plus fascinant ; jusqu'au moment où, tandis que je le regardais toujours, le feu se divisa et, à travers le brouillard, sembla briller au-dessus de moi, pareil à deux yeux rouges ; puis je dus m'évanouir tout en rêvant, car il n'y eut plus autour de moi que des ténèbres.

Dans un dernier effort conscient de mon imagination, j'aperçus un visage livide qui, sortant du brouillard, se penchait sur moi.

Je dois me méfier de rêves semblables, car, s'ils se reproduisaient souvent, ils deviendraient dangereux pour ma raison.

2 octobre, 10 h du soir – La nuit dernière, j'ai dormi, dormi sans rêver, et profondément sans doute, car Jonathan ne m'a pas réveillée en se mettant au lit ; pourtant le sommeil ne m'a pas reposée ; aujourd'hui encore je me suis sentie faible et découragée. Hier, dans l'après-midi, Mr. Renfield a demandé à me voir. Le pauvre homme a été très aimable et, au moment où j'allais le quitter, il m'a baisé la main tout en priant Dieu de me bénir. Après le dîner, j'ai prié le Dr. Seward de me donner un léger soporifique, car, lui expliquai-je, je n'avais pas bien dormi la nuit précédente. Il m'en a préparé un, très léger, et m'a assuré qu'il était inoffensif... Je m'endors... Bonsoir !

XX

Journal de Jonathan Harker

1er octobre, au soir – Je me rendis à Walworth, chez Mr. Joseph Smollet. C'est un garçon bon, intelligent, en qui l'on peut avoir confiance. Il se souvenait parfaitement de l'incident qui avait eu lieu lorsqu'il était venu chercher les caisses à Carfax. Il en avait transporté six, me dit-il, de Carfax au n° 197 de Chicksand Street, Mile End New Town, puis il en avait déposé six autres à Jamaïca Lane, Bermondsey. Donc le comte désirait disperser un peu partout dans Londres ces horribles caisses qui lui servaient de refuges. Je demandai à Smollet s'il pouvait me dire si on avait été chercher à Carfax d'autres caisses encore.

– Ben, patron, me répondit-il, j'ai entendu raconter par un certain Bloxam que lui et un autre camionneur étaient allés dans une vieille maison de Purfleet faire un travail pendant lequel ils avaient avalé des kilos de poussière ! Comme ça n'arrive pas tous les jours, hein ? je pense que ce Sam Bloxam pourrait encore vous donner bien des détails là-d'ssus !

S'il parvenait à me trouver l'adresse de ce Bloxam, lui dis-je, cela lui vaudrait un demi-souverain.

2 octobre, au soir – Au courrier du matin, j'ai reçu un petit bout de papier tout souillé sur lequel une adresse était grossièrement griffonnée au crayon: «*Sam Bloxam, Korkrans, 4, Poters Cort, Bartel Street, Walworth.*»

J'eus quelque difficulté à trouver Potter's Court. L'orthographe de Mr. Smollet m'induisit en erreur quant à l'adresse. Pourtant, une fois que je fus dans Potter's Court, je me dirigeai sans hésitation vers la maison de Corcoran. Un bref entretien avec le portier, puis avec un contremaître, me mit sur la trace de Bloxam. On l'envoya chercher lorsque je me déclarai prêt à payer son salaire d'une journée au contremaître si on me permettait de lui poser quelques questions au sujet d'une affaire qui m'intéressait personnellement. Bloxam est un garçon à l'aspect rude et au franc-parler. Quand je lui eus promis de payer les renseignements qu'il me donnerait, il me dit avoir fait, entre Carfax et une maison de Piccadilly, deux trajets, pour transporter dans cette dernière neuf grandes caisses – «d'énormes caisses très lourdes» – sur un camion tiré par un cheval, qu'il avait loué à cette fin. Je lui demandai s'il se rappelait le numéro de la maison de Piccadilly.

– Ma foi, patron, me répondit-il, j'ai oublié le numéro, mais ce que je puis vous dire, c'est que deux ou trois maisons seulement séparent celle où j'ai apporté les caisses d'une grande église blanche – ou quelque chose qui ressemble à une église – et qui, en tout cas, n'est pas construite depuis longtemps.

Je partis pour Piccadilly. Chaque minute était

précieuse. À Piccadilly Circus, je descendis du fiacre, et je m'en allai vers l'ouest du quartier. Je venais de passer devant le *Junior Constitutional* lorsque j'aperçus la maison. C'était bien un des repaires de Dracula, je n'en doutai pas un instant. Cette maison paraissait inoccupée depuis très longtemps. Les volets étaient ouverts, mais une épaisse couche de poussière recouvrait les fenêtres. Le temps avait noirci toutes les boiseries, et il ne restait plus trace de peinture sur aucun des ornements en fer.

Je contournai la maison, me disant que peut-être, de l'autre côté, je verrais quelque chose d'intéressant. Dans les écuries, il y avait beaucoup d'animation. Rencontrant un ou deux palefreniers, je leur demandai ce qu'ils savaient de cette maison vide. L'un d'eux me répondit qu'il avait appris qu'elle venait d'être achetée, mais il ignorait par qui. Il ajouta qu'à peine deux ou trois jours auparavant on voyait encore au balcon de la maison une pancarte annonçant qu'elle était à vendre, et que peut-être, si je m'adressais au cabinet Mitchell, Sons & Candy, j'obtiendrais les renseignements que je cherchais, car il croyait bien se souvenir d'avoir lu sur l'affiche le nom de ces courtiers en immeubles. Le soir approchait, aussi ne perdis-je point de temps. Je connaissais l'adresse de Mitchell, Sons & Candy, et me rendis aussitôt à leur bureau de Sackville Street.

L'employé qui me reçut se montra affable, mais laconique. Il me dit que cette maison de Piccadilly était vendue, puis il considéra notre entretien comme clos. Lorsque je lui demandai encore qui l'avait achetée, il attendit quelques secondes avant de répéter :

– Elle est vendue, monsieur. Chez Mitchell, Sons & Candy, les relations avec les clients sont absolument confidentielles.

– Vos clients, monsieur, ont de la chance d'avoir des hommes d'affaires dignes d'une telle confiance. J'appartiens moi-même à la profession (je lui tendis ma carte) et ce n'est pas la curiosité qui m'amène ici, croyez-le. Je viens de la part de lord Godalming ; il désirerait quelques renseignements au sujet de cette propriété qui, il y a peu de temps encore, était à vendre.

Cela fit prendre à l'affaire une autre tournure.

– Monsieur Harker, si vous voulez bien me donner l'adresse de lord Godalming, je parlerai de la chose au directeur. Nous ne serons que trop heureux de donner à Sa Seigneurie les renseignements désirés.

Je le remerciai de sa serviabilité, lui donnai l'adresse du Dr. Seward et le quittai. Il faisait nuit ; je me sentais fatigué, j'avais faim. Je pris une tasse de thé avant de rentrer à Purfleet par le prochain train.

Le Dr. Seward et ses amis étaient assis autour du feu dans le bureau du docteur. Je leur lus les pages de mon journal que j'avais écrites dans le train et qui relataient ma journée. Lorsque j'eus terminé, Van Helsing déclara :

– C'est une importante découverte, ami Jonathan ! À n'en pas douter, nous allons retrouver ces caisses. Si elles sont dans cette maison de Piccadilly, notre travail est presque accompli.

Journal du Dr. Seward

1er octobre – De nouveau, je ne sais que penser au sujet de Renfield. Il change d'humeur à tout moment ; ce matin, quand je suis allé le trouver, ses manières étaient celles d'un homme maître de son destin. Un peu plus tard dans la journée, on vint me dire qu'il me demandait. Je le trouvai au milieu de la pièce, assis sur son tabouret. J'étais à peine entré dans la chambre qu'il me demanda :

– Que pensez-vous des âmes ?

– Qu'en pensez-vous vous-même ? fis-je.

– Allez au diable, vous et vos âmes ! s'écria-t-il. Pourquoi me tourmentez-vous ainsi en me parlant des âmes ?

Mais aussitôt il se calma et me dit en s'excusant :

– Pardonnez-moi, docteur ; je me suis oublié. Tant de choses me préoccupent que je m'irrite pour un rien. Si seulement vous saviez le problème que j'ai à résoudre, vous auriez pitié de moi et vous me pardonneriez mes éclats.

Je jugeai bon de le laisser dans cette disposition d'esprit, et je le quittai. Le cas de cet homme mérite qu'on l'examine attentivement. Il a la certitude d'accéder un jour à une vie supérieure, mais il en redoute la conséquence : le fardeau d'une âme. Et cette certitude, d'où lui vient-elle ?...

Dieu de Miséricorde ! C'est que le comte est venu à lui. À quelle nouvelle horreur devons-nous encore nous attendre ?

Lettre de Mitchell, Sons & Candy à lord Godalming

« 1er octobre.

« Milord,

« Nous avons le plaisir de répondre au désir de Votre Seigneurie – désir dont nous a fait part Mr. Harker – en lui donnant les informations suivantes concernant la vente et l'achat de l'hôtel sis au n° 347 de Piccadilly. Cette propriété a été vendue par les exécuteurs testamentaires de feu Mr. Archibald Winter-Suffield à un gentilhomme étranger, le comte de Ville, qui a personnellement effectué l'achat et qui a payé comptant. À part cela, nous ne savons absolument rien de cet étranger.

« Nous restons, Milord, les humbles serviteurs de Votre Seigneurie.

« Mitchell, Sons & Candy. »

Journal du Dr. Seward

2 octobre — Hier soir, je donnai l'ordre à un surveillant de rester dans le couloir et de ne pas s'éloigner de la porte de Renfield. Ce matin, le surveillant m'a raconté que, un peu après minuit, il a commencé à s'agiter et n'a plus cessé dès lors de réciter ses prières à haute voix.

Aujourd'hui, Harker est parti, désireux de suivre la piste qu'il a découverte hier, tandis qu'Art et Quincey sont allés chercher des chevaux. Godalming juge qu'il serait souhaitable d'avoir des chevaux, car, lorsque nous recevrons le renseignement que nous attendons, il n'y aura pas un instant à perdre. Nous devrons, entre le lever et le coucher du soleil, rendre inefficace la terre que contiennent les caisses ; de cette façon, nous pourrons capturer le comte dans les moments où il est presque sans pouvoir et sans refuge aucun. Van Helsing, lui, est allé au British Museum afin de consulter des ouvrages de médecine ancienne.

Il m'arrive de penser que nous sommes tous fous et que, lorsque nous reviendrons à la raison, on nous aura mis la camisole de force.

Plus tard – Le surveillant s'est précipité dans mon bureau pour me dire que Renfield a sans doute été victime d'un accident. Il l'a entendu crier et, quand il est entré dans sa chambre, il l'a trouvé étendu à terre, le visage contre le plancher, et tout couvert de sang. J'y vais immédiatement.

XXI

Journal du Dr. Seward

3 octobre – Lorsque j'entrai chez Renfield, il était toujours étendu à même le plancher dans une mare de sang. Il était gravement blessé, surtout au visage, d'où provenait tout ce sang dans lequel il baignait ; on eût dit qu'on lui avait violemment heurté le visage contre le plancher. Le surveillant me dit :

– Je crois qu'il a la colonne vertébrale brisée.

– Allez prier le Dr. Van Helsing de venir ici, lui dis-je. J'ai besoin de lui à l'instant même !

L'homme sortit en courant, et, quelques minutes plus tard, le professeur apparut en robe de chambre et en pantoufles. Il vit Renfield étendu sur le sol et se tourna vers moi. Je crois qu'il lut ma pensée dans mes yeux, car il me dit à l'oreille :

– Faites sortir le surveillant. Nous devons être seuls avec lui au moment où il reprendra connaissance.

– Merci, Simmons, dis-je au garçon. Allez voir les autres malades.

Il sortit, et nous procédâmes à un examen minutieux du patient.

Les blessures du visage étaient superficielles. Ce qui était plus grave, c'était une fracture du crâne, s'étendant à peu près sur toute la zone motrice. Le professeur réfléchit un instant, puis me dit :

– Nous devons faire tomber la tension artérielle ; la

rapidité de l'afflux du sang prouve combien le cas est inquiétant ; il nous faut trépaner immédiatement.

Comme il prononçait ces mots, on frappa légèrement à la porte. J'allai ouvrir et me trouvai devant Arthur et Quincey, tous les deux en pyjama et en pantoufles. Lorsque Quincey vit Renfield et, d'autre part, la mare de sang, il demanda dans un simple murmure :

– Le pauvre homme, que lui est-il donc arrivé ?

Je le mis brièvement au courant des événements, en ajoutant que nous espérions qu'il reprendrait connaissance après l'opération – pendant quelques moments, tout au moins.

Le cœur me manquait, et je n'avais qu'à regarder Van Helsing pour comprendre qu'il n'envisageait pas sans appréhension ce qui allait se passer. Pour ma part, en vérité, c'était ce que Renfield pourrait nous dire que je redoutais : je n'osais pas y penser. Je me retournai à nouveau vers le professeur. Sans en dire davantage, il se mit à opérer. Pendant quelques minutes encore, la respiration fut stertoreuse. Puis le patient eut un râle si prolongé que l'on avait l'impression qu'il lui déchirait la poitrine. Soudain, il ouvrit les yeux – des yeux égarés – ; bientôt pourtant on vit sur son visage une expression de surprise heureuse, et de ses lèvres s'échappa un soupir de soulagement. Il eut quelques mouvements convulsifs cependant qu'il disait :

– Je serai calme, docteur. Dites-leur qu'ils m'enlèvent la camisole de force. J'ai fait un rêve affreux qui m'a tellement épuisé que je ne peux plus bouger.

– Racontez-nous votre rêve, monsieur Renfield.

Quand il reconnut la voix du professeur, son visage, malgré ses blessures, rayonna. Mais sans doute son pauvre cerveau avait-il travaillé dans l'intervalle, car, lorsqu'il fut redevenu tout à fait conscient, il tourna vers moi un regard perçant, mais si triste que je ne l'oublierai jamais, et reprit :

– Ce n'était pas un rêve… ce n'était que l'affreuse réalité ! J'ai quelque chose à dire avant de mourir, ou avant que mon pauvre cerveau ne soit tout à fait anéanti. C'est ce soir-là, quand vous m'avez eu quitté, après que je vous avais supplié de me laisser partir. Après votre départ, j'entendis les chiens aboyer derrière notre maison. C'est alors qu'il est apparu à ma fenêtre, entouré de brouillard ainsi que je l'avais déjà vu souvent auparavant. Il riait de sa bouche rouge, et, quand il se retourna pour regarder par-delà les arbres, là où les chiens aboyaient, ses dents blanches et pointues brillèrent au clair de lune. Il me fit signe de m'approcher de la fenêtre ; je me levai et j'y allai. Il leva les mains comme s'il appelait quelque chose sans prononcer la moindre parole. Une masse sombre s'étendit au-dessus de la pelouse, s'éleva vers nous sous la forme d'une gerbe de feu. Puis il écarta le brouillard à droite et à gauche, et j'aperçus des milliers de rats avec leurs yeux rouges et flamboyants – semblables aux siens, mais plus petits. À nouveau, il leva une main, et tous s'arrêtèrent ; et j'avais l'impression qu'il me disait : « Toutes ces vies, je vous les donne, et beaucoup d'autres encore, si vous tombez à genoux et m'adorez!» Alors, un nuage rouge – de la couleur du sang – se forma devant mes yeux, et, avant même que je n'eusse conscience de ce que je faisais, j'ouvris la fenêtre et je lui dis: «Entrez, Seigneur et Maître!» Tous les rats avaient disparu, mais, lui, il se glissa dans la chambre.

Sa voix devenait très faible; j'humectai ses lèvres avec un peu de brandy, et il se remit à parler.

– Toute la journée, j'ai attendu, croyant qu'il allait m'envoyer quelque chose. Mais non, rien... pas même une mouche à viande, et, quand la lune s'est levée, j'étais en colère contre lui. Lorsque, sans même frapper, il s'est glissé par la fenêtre, pourtant fermée, je fus pris d'une véritable fureur. Il ricana; ses yeux flamboyaient dans le brouillard. Quand Mrs. Harker vint me voir dans l'après-midi, elle n'était plus la même. J'aime les gens qui ont beaucoup de sang, et elle, elle semblait ne plus en avoir du tout. De penser qu'il lui avait sucé la vie, j'en devenais fou. Aussi, quand il est venu ce soir, je l'attendais! J'ai vu le brouillard approcher, entrer dans la chambre et je me suis préparé à l'empoigner, ce fameux brouillard! Pour rien au monde je n'aurais voulu qu'il s'attaquât encore à la vie de cette jeune femme – quand mon regard rencontra ses yeux. Ils brûlaient quelque chose en moi, ma force fondit, devint pareille à de l'eau. Il m'échappa et, quand je voulus l'agripper à nouveau, il me souleva et me lança à terre. Un nuage rouge se forma devant moi, j'entendis comme un roulement de tonnerre, puis le brouillard sembla se dissiper et disparaître sous la porte.

Sa voix était de plus en plus faible, sa respiration de plus en plus difficile.

– Nous connaissons le principal maintenant, le plus terrible… dit Van Helsing. Il est donc ici, et nous savons ce qu'il cherche. Peut-être n'est-il pas trop tard. Armons-nous, comme l'autre nuit, mais ne perdons pas de temps, pas une minute !

Il se tut, la voix étouffée ; et, quant à moi, je ne sais si c'était la rage ou la terreur qui me tenait haletant. Devant la porte des Harker, nous nous arrêtâmes.

– Allons-nous l'éveiller ? demanda Quincey.

– Il le faut, répliqua Van Helsing ; si la porte est fermée à clef, nous l'enfoncerons. Allons-y !

Il tourna la clenche, mais la porte ne céda pas. Nous nous jetâmes littéralement contre elle. Elle s'ouvrit avec fracas. Ce que je vis m'effraya au point que j'eus l'impression que mes cheveux se dressèrent sur ma tête et que mon cœur s'arrêta de battre.

Le clair de lune était tel que, malgré l'épais store jaune descendu devant la fenêtre, on distinguait parfaitement tout dans la chambre. Jonathan Harker, étendu sur le lit qui se trouvait à côté de la fenêtre, avait le visage empourpré, et il respirait péniblement, dans une sorte de torpeur. Agenouillée sur l'autre lit, en fait sur le bord de ce lit qui était le plus proche de nous, se détachait la silhouette blanche de sa femme, et près d'elle se tenait un homme grand et mince, habillé de noir. Aussitôt, nous reconnûmes le comte. Dans sa main gauche, il tenait les deux mains de Mrs. Harker ; de sa main droite, il lui tenait la nuque, l'obligeant à pencher le visage sur sa poitrine. Sa chemise de nuit blanche était tachée de sang, et un filet de sang coulait sur la poitrine de l'homme, que sa chemise déchirée laissait à nu. À les voir tous deux ainsi, on imaginait un enfant qui aurait forcé son chat à mettre le nez dans une soucoupe de lait. Lorsque nous nous précipitâmes, le comte tourna la tête, et son visage blême prit cette apparence diabolique dont Harker parle dans son journal. D'un mouvement violent, il rejeta sa victime sur le lit, se retourna tout à fait et bondit sur nous. Mais le professeur, maintenant debout, tendait vers lui l'enveloppe contenant la Sainte Hostie. Le comte s'arrêta net, comme Lucy l'avait fait à la porte de son tombeau, et recula. Il ne cessa de reculer, devenant, eût-on dit, de plus en plus petit, tandis que nous, nos crucifix en main, nous avancions vers lui. Soudain, un gros nuage noir couvrit la lune, et quand Quincey donna de la lumière, nous ne vîmes plus rien d'autre qu'une légère vapeur. Tandis que, étonnés, nous regardions autour de nous, cette vapeur disparut sous la porte, laquelle, après le coup dont nous l'avions ébranlée, s'était refermée.

Van Helsing, Arthur et moi nous approchâmes alors du chevet de Mrs. Harker qui, enfin, venait de reprendre son souffle et, en même temps, avait poussé un tel cri de détresse qu'il me semble qu'il résonnera à mes oreilles jusqu'au jour de ma mort. Pendant quelques secondes encore, elle resta prostrée. Son visage était effrayant – d'une pâleur d'autant plus frappante que les lèvres, le menton et une partie des joues étaient couverts de sang; de sa gorge coulait un filet de sang; et ses yeux étaient pleins d'une terreur folle.

Van Helsing ramena doucement la couverture sur elle, tandis qu'Arthur, après avoir un instant regardé son visage, dut sortir de la chambre. Alors le professeur me dit à l'oreille:

– Jonathan est dans un état de stupeur semblable à celui que, les livres nous le disent, le vampire peut créer. Nous devons l'éveiller.

Il trempa le bout d'une serviette dans de l'eau froide, en frappa légèrement à plusieurs reprises la joue de Harker. Sur son visage, on lisait le plus profond étonnement; comme étourdi, il lui fallut quelques secondes pour revenir complètement à la réalité, mais, alors, il se dressa sur son lit. Sa femme, que ce brusque mouvement avait distraite une seconde de son tourment, se tourna vers lui, les bras tendus, comme pour l'embrasser; aussitôt, cependant, elle les retira, se cacha le visage dans les mains et se mit à trembler des pieds à la tête.

– Au nom de Dieu, s'écria Harker, que s'est-il passé? Docteur Van Helsing, vous avez beaucoup d'amitié pour Mina, je le sais. Sauvez-la, je vous en supplie! Vous le pouvez: il n'est pas trop tard!

XXII

Journal de Jonathan Harker

3 octobre – Je le sens : je deviendrais fou si je restais à ne rien faire ; aussi je reprends mon journal.

Maintenant, qu'allions-nous faire ? L'heure cruciale avait sonné. Chacun de nous en convint : Mina devait de nouveau être des nôtres, rester au courant de tous nos agissements. Je lui dis qu'elle devait continuer à tenir son journal. La perspective d'une occupation parut lui être agréable, si toutefois l'on peut se servir du mot « agréable » lorsqu'il est question d'une affaire aussi sinistre que celle-ci.

Comme à l'accoutumée, Van Helsing avait, avant aucun de nous, réfléchi à l'ensemble de la situation.

– Dans cette affaire, il nous faut procéder sans hâte si nous voulons arriver promptement à nos fins. Selon toute probabilité, c'est dans cette maison de Piccadilly que les choses vont s'éclaircir pour nous. Le comte a peut-être acheté plusieurs autres maisons ; il doit donc posséder les actes d'achat de celles-ci, les clefs, que sais-je encore ? Il doit avoir du papier à écrire, il doit avoir son carnet de chèques… Il faut bien que tout cela soit quelque part. Pourquoi pas dans cette demeure si calme, en plein Londres, où il peut entrer, d'où il peut sortir à l'heure qui lui plaît, par la porte principale ou par une autre, sans que personne le remarque dans la foule toujours nombreuse en cet endroit ? Cette maison, nous allons l'explorer ; et quand nous aurons vu ce qu'elle recèle, nous pourrons chasser notre vieux renard jusqu'à son terrier...

Nous décidâmes que, avant de partir pour Piccadilly, nous devions détruire le repaire du comte qui était le plus proche. Le professeur proposa que, après être allés à Carfax, nous nous rendions tous à la maison de Piccadilly ; les deux médecins et moi-même y resterions tandis que lord Godalming et Quincey iraient détruire les repaires de Walworth et de Mile End.

Van Helsing se leva et déclara :

– Mes enfants, l'heure décisive approche. Sommes-nous tous armés comme la nuit où nous avons visité le premier repaire de notre ennemi ? Armés pour résister à une attaque aussi bien spirituelle que physique ?

Nous le rassurâmes sur ce point.

– Parfait ! En tout cas, madame Mina, vous êtes à l'abri de tout danger jusqu'à ce que le soleil se couche et, d'ici là, nous serons revenus... si... Mais oui, nous reviendrons ! Seulement vous aussi, malgré tout, il faut que vous puissiez arrêter l'ennemi s'il cherchait de nouveau à vous nuire. Depuis que vous avez quitté votre chambre, je suis allé y mettre certaines choses qui l'empêcheront d'entrer. Et dès à présent, moi-même je touche votre front de ce morceau de la Sainte Hostie, au nom du Père, et du Fils, et du...

Nous entendîmes un cri épouvantable.

L'Hostie avait brûlé le front de Mina comme l'eût fait un morceau de métal chauffé à blanc.

Ma pauvre chérie avait pleinement compris ce que cela signifiait, aussi vite qu'elle en avait ressenti la douleur, et son cri était l'expression de la détresse infinie où elle se sentait sombrer.

– Impure ! Je suis impure ! Le Dieu tout-puissant lui-même fuit ma chair maudite ! Jusqu'au Jugement dernier, je porterai sur mon front ce stigmate de ma honte !

Tous la regardaient, interdits. Pour moi, je m'étais jeté à côté d'elle, en proie à un affreux désespoir, et, passant mes bras autour de sa taille, je la serrai étroitement contre moi. Puis Van Helsing s'approcha de nous et dit d'un ton si grave que je ne pus m'empêcher de penser qu'il parlait comme s'il était inspiré :

– Oh ! Très chère madame Mina, puissions-nous, nous qui vous aimons, être là pour voir la marque rouge – ce signe qui montre que Dieu sait ce qui vous est arrivé – disparaître de votre front, qui redeviendra alors aussi pur que votre cœur ! Car, n'en doutons pas, cette marque s'effacera quand il plaira à Dieu de nous délivrer du lourd fardeau qui pèse sur nous.

Ses paroles nous aidèrent à nous résigner – au-delà de la résignation, l'espoir était permis. Il était temps de partir. Je dis adieu à Mina ; et, cet instant, ni elle ni moi ne l'oublierons de notre vie !

Nous n'eûmes aucune difficulté à entrer à Carfax :

nous y trouvâmes tout exactement dans le même état que lors de notre première visite. Nous ne découvrîmes aucun papier, absolument rien qui pût être l'indice d'une présence quelconque ; dans la vieille chapelle, les grandes caisses ne paraissaient pas avoir été déplacées d'un pouce depuis que nous les avions vues.

– Mes amis, dit Van Helsing, nous avons ici un premier devoir à remplir. Nous allons rendre inefficace la terre que contiennent ces coffres.

Tout en parlant, il avait tiré de son sac un tournevis et une clef universelle et, très vite, il fit sauter le couvercle d'une des caisses. La terre dégageait une odeur de moisi ; mais, plus que par cette odeur, nous avions l'attention attirée par ce que faisait le professeur : il avait pris un morceau de la Sainte Hostie, il le posa respectueusement sur la terre, puis il abaissa le couvercle, et nous l'aidâmes à le visser à nouveau.

Nous ouvrîmes et refermâmes toutes les caisses l'une après l'autre, les laissant apparemment telles que nous les avions trouvées ; seulement, dans chacune d'elles, il y avait à présent un morceau de la Sainte Hostie.

La porte de la maison refermée derrière nous, le professeur s'écria :

– Voilà qui est fait ! Si nous réussissons de cette façon en ce qui concerne les autres coffres, le soleil, quand il se couchera ce soir, pourra éclairer d'une dernière lueur le front blanc et immaculé de Mme Mina !

Piccadilly, midi et demi – Nous allions arriver à Fenchurch Street quand lord Godalming me dit :

– Nous irons chercher le serrurier, Quincey et moi ; mieux vaut ne pas nous accompagner. Car les circonstances sont telles qu'il nous faudra peut-être, malgré tout, forcer la porte de cette maison ; en tant que notaire, il est sans doute préférable que vous ne vous en mêliez pas !

– Excellente idée ! approuva Van Helsing, et nous nous séparâmes là-dessus, Godalming et Morris sautant dans un fiacre, et nous dans un autre.

Au coin d'Arlington Street, nous descendîmes de voiture et allâmes nous promener dans Green Park. Je sentis mon cœur battre très fort lorsque j'aperçus la maison en laquelle nous mettions tant d'espoir, et qui se dressait, abandonnée à son silence sinistre, entre d'autres demeures gaies et animées. Nous nous assîmes sur un banc d'où nous ne la perdions pas de vue, et c'est en fumant des cigarettes que nous attendîmes l'arrivée des deux autres. Chaque minute nous semblait une éternité.

Finalement, nous vîmes une voiture s'arrêter devant la maison. Lord Godalming et Morris en descendirent avec une parfaite nonchalance, puis, du siège, un ouvrier trapu, portant des outils. Morris paya le cocher, qui toucha de la main sa casquette et repartit, tandis que Godalming et l'ouvrier montaient les marches du perron. Lord Godalming montra le travail qu'il désirait voir accomplir, et l'autre se mit à genoux et prit un énorme trousseau de clefs. Il essaya une de ces clefs dans la serrure, puis une autre, puis encore une autre. Il donna alors un léger coup d'épaule dans la porte, qui s'ouvrit aussitôt. Lord Godalming lui mit dans la main quelque argent. L'homme esquissa un geste de salut, ramassa ses outils et s'éloigna. Personne ne s'était avisé de quoi que ce fût.

Lorsque l'homme fut hors de vue, nous sortîmes des jardins, traversâmes la rue et allâmes frapper à la porte. Quincey Morris vint immédiatement nous ouvrir ; à côté de lui, lord Godalming allumait un cigare.

– Cette maison sent terriblement mauvais, nous dit ce dernier comme nous entrions.

En effet, cela sentait terriblement mauvais – l'odeur même de la chapelle de Carfax. Nous nous mîmes à explorer une pièce après l'autre, restant toujours tous ensemble, en cas d'attaque. Dans la salle à manger, au bout du corridor, nous vîmes huit caisses, alors que nous en recherchions neuf ! Sans perdre un instant, en nous servant des outils que nous avions apportés, nous ouvrîmes chacune des caisses pour y déposer, comme nous l'avions fait à Carfax, un morceau de l'Hostie.

Sûrs de n'avoir négligé aucun recoin de la maison, nous en vînmes à la conclusion que tout ce qui appartenait au comte se trouvait dans la salle à manger. Il y avait les actes notariés de l'achat de la maison de Piccadilly, ainsi que ceux des maisons de Mile End et de Bermondsey. Un mince papier d'emballage préservait le tout de la poussière. Il y avait aussi une brosse à habits, une brosse à cheveux, un peigne, une cruche et une cuvette – celle-ci remplie d'eau sale et rougie, comme si on y avait versé du sang. Enfin, des clefs de toutes sortes et de toutes dimensions qui étaient probablement celles des autres maisons. Dès que nous eûmes examiné ces clefs, lord Godalming et Quincey Morris notèrent les adresses exactes des différentes maisons à Mile End et à Bermondsey et, munis de ces clefs, partirent pour aller achever là-bas l'œuvre de destruction.

Et maintenant, nous attendons leur retour... ou l'arrivée du comte.

XXIII

Journal du Dr. Seward

3 octobre – Le temps nous semblait terriblement long tandis que nous attendions le retour de Godalming et de Quincey Morris. Le professeur s'efforçait de nous distraire en occupant sans cesse notre esprit. Tandis qu'il parlait, un coup frappé à la porte d'entrée nous fit sursauter. La joie de notre cœur dut se refléter sur notre visage quand nous vîmes sur le seuil lord Godalming et Quincey Morris. Ils entrèrent rapidement et le premier dit, tandis qu'ils avançaient dans le corridor :

– Tout va bien. Nous avons découvert deux emplacements avec six caisses de part et d'autre, et maintenant elles n'existent plus.

– Elles n'existent plus ? demanda le professeur.

– Plus pour lui !

Après un moment de silence, Quincey Morris déclara à son tour :

– Il n'y a rien à faire, sinon attendre ici. Cependant, s'il n'est pas ici à cinq heures, nous devrons partir, car nous ne pouvons pas laisser Mrs. Harker seule après le coucher du soleil.

– Il va bientôt arriver, dit Van Helsing. Croyez-moi, nous n'aurons plus longtemps à attendre.

Parlant à voix basse, il leva la main en guise d'avertissement ; en effet, nous entendions le bruit d'une clef glissée doucement dans la serrure de la porte d'entrée.

Van Helsing, Harker et moi étions juste derrière la porte de façon que, lorsqu'elle s'ouvrirait, le professeur pût la garder tandis que nous avancerions pour couper la retraite à l'arrivant. Quincey et Godalming se tenaient dissimulés, prêts à s'avancer devant la fenêtre. Nous attendions, en proie à une angoisse qui donnait aux secondes une lenteur de cauchemar. Les pas traversaient le corridor, lents et prudents. Le comte s'attendait évidemment à une attaque – ou, du moins, la craignait.

Soudain, d'un seul élan, il bondit dans la pièce, nous dépassant avant qu'aucun de nous pût avancer la main pour l'arrêter. Il y avait dans ce bond quelque chose de si félin, de si peu humain, qu'il sembla nous tirer de la stupeur causée par cette irruption. Le premier à agir fut Harker. D'un mouvement rapide, il se jeta devant la porte qui s'ouvrait sur la pièce de façade. Quand le comte nous vit, il ricana hideusement, découvrant ainsi des canines longues et pointues. Son expression changea lorsque, tous ensemble, nous avançâmes vers lui. À ce moment encore, je me demandais ce que nous allions faire. Je ne savais pas si nos armes matérielles nous seraient de quelque utilité. Harker avait évidemment l'intention d'en faire l'essai, car il tenait en main son long poignard et en porta brusquement un coup furieux, extrêmement violent. Le comte ne fut sauvé que par la rapidité diabolique de son bond en arrière. Il ne s'en fallut que d'une seconde : la lame acérée aurait traversé son cœur. Au lieu de cela, la pointe coupa le tissu de son vêtement et par la déchirure s'échappèrent une liasse de billets de banque et un flot de pièces d'or.

L'expression du comte était si terrible qu'un instant j'eus peur pour Harker, bien que je le visse brandir son poignard pour une nouvelle attaque. Instinctivement, je m'avançai pour le protéger, tenant le crucifix et l'Hostie dans ma main gauche. Je sentais une force puissante animer mon bras et je ne fus pas surpris de voir le monstre battre en retraite quand tous firent le même geste que moi. Il est impossible de décrire l'expression de haine et de cruauté déjouée, de colère et de rage diabolique qui parut sur le visage du comte. Son teint de cire, devenu verdâtre, contrastait avec son regard brûlant. L'instant d'après, d'un souple plongeon, il se glissa sous le bras de Harker avant que celui-ci pût frapper ; il ramassa une poignée de pièces d'or sur le parquet, fila comme un trait à travers la pièce et se jeta contre la fenêtre. Dans le fracas et parmi les éclats de verre qui brillèrent en volant tout autour de lui, il sauta dans la cour. Accourus à la fenêtre, nous le vîmes se relever sans mal. Il traversa la cour, poussa la porte des écuries. Alors, il se retourna et nous cria :

– Vous croyez me faire échec ! Vous, avec vos visages pâles, alignés comme des moutons à l'abattoir ! Vous le regretterez, tous tant que vous êtes ! Les femmes que vous aimez m'appartiennent déjà, et, par elles, vous et d'autres encore m'appartiendrez.

Avec un ricanement de mépris, il franchit vivement

la porte, et nous entendîmes grincer le verrou rouillé lorsque, de l'intérieur, il le poussa. Une porte, plus loin, s'ouvrit et se referma.

Godalming et Morris s'étaient précipités dans la cour. Mais ils ne trouvèrent plus trace de lui. Van Helsing et moi partîmes faire des recherches derrière la maison ; mais les écuries étaient désertes. Nous avions perdu la partie. C'est la tristesse au cœur que nous sommes rentrés chez moi. Mrs. Harker nous attendait avec une apparence de joie qui faisait honneur à son courage. Quand elle vit nos visages, le sien blêmit. Son mari tomba à ses genoux, entoura sa taille de ses bras et cacha son visage dans les plis de sa robe.

Van Helsing les a précédés dans leur chambre et a fait en sorte que tout accès y fût interdit au vampire. Il avait placé à portée de leurs mains une sonnette dont ils pouvaient se servir en cas de danger. Quincey, Godalming et moi, nous convînmes de veiller, chacun à notre tour, afin de protéger l'infortunée jeune femme. La première garde est échue à Quincey. Godalming a déjà gagné sa chambre, car il est le second à veiller. Maintenant que mon récit est achevé, je vais me coucher aussi.

Journal de Jonathan Harker

3-4 octobre, bientôt minuit – J'ai cru que la journée d'hier ne finirait jamais. Avant de nous séparer, nous avons discuté de notre prochaine démarche, sans résultat. Tout ce que nous savions, c'est qu'il reste une caisse où le comte peut se réfugier et que lui seul sait où elle se trouve. S'il choisit de rester caché, il peut nous tenir en échec des années, et pendant ce temps... cette perspective est trop horrible, je n'ose l'envisager.

Plus tard – Je dois m'être endormi, car j'ai été réveillé par Mina qui était assise dans le lit, l'air effrayé. Elle mit sa main sur ma bouche pour m'empêcher de parler et murmura à mon oreille :

– Écoutez ! Il y a quelqu'un dans le couloir !

Je me levai sans bruit. Dehors, Mr. Morris, bien éveillé, était étendu sur un matelas. Il leva la main pour m'imposer silence et me dit à voix basse.

– Chut ! Retournez vous coucher. Tout va bien.

4 octobre, au matin – Mina m'a éveillé une seconde fois pendant la nuit. Le gris de l'aube naissante dessinait les rectangles des fenêtres. Elle me dit aussitôt :

– Allez chercher le professeur. Je voudrais le voir.

Deux ou trois minutes après, Van Helsing, en robe de chambre, était là :

– Que puis-je pour vous ?

– Je voudrais que vous m'hypnotisiez, expliqua-t-elle. Faites-le maintenant, avant le jour, car je sens que, maintenant, je peux parler et parler librement. Vite ! Il ne nous reste que peu de temps !

Sans un mot, il lui fit signe de s'asseoir dans le lit.

La regardant fixement, il commença à exécuter des passes devant elle, du haut de la tête vers le bas, avec chaque main alternativement. Peu à peu, ses yeux se fermèrent, et elle resta assise, immobile. Seule sa poitrine, en se soulevant doucement, indiquait qu'elle était vivante. Le professeur fit encore quelques passes, puis s'arrêta ; son front était couvert de grosses gouttes de sueur. Mina ouvrit les yeux, mais elle semblait être une autre femme. Son regard était lointain et sa voix avait une tristesse rêveuse que je ne lui connaissais pas. Le professeur me fit signe d'introduire les autres. Ils entrèrent sur la pointe des pieds, refermèrent la porte derrière eux et s'approchèrent du lit, regardant Mina. Celle-ci ne semblait pas les voir.

Van Helsing rompit le silence :

– Où êtes-vous ?

Elle répondit d'un ton neutre :

– Je ne sais pas. Tout me paraît si étrange !

– Que voyez-vous ?

– Je ne peux rien voir ; tout est sombre.

– Qu'entendez-vous ?

– Le clapotis de l'eau… tout près d'ici…

– Vous êtes sur un bateau ?

– Oui !

– Qu'entendez-vous d'autre ?

– Les pas des hommes qui piétinent et s'affairent au-dessus de ma tête. Il y a un raclement de chaîne et un cliquetis sonore.

– Que faites-vous ?

– Je suis tranquille… Comme une morte.

Elle se tut, poussa un profond soupir et referma les yeux. Pendant ce temps, le soleil s'était levé ; il faisait grand jour. Le Dr. Van Helsing mit les mains sur les épaules de Mina et posa doucement la tête de la jeune femme sur l'oreiller. Elle demeura un moment étendue, puis, dans un soupir, elle s'éveilla et nous regarda :

– Ai-je parlé dans mon sommeil ?

Le professeur lui répéta leur conversation, et elle eut la force de s'écrier :

– Alors, il n'y a pas un moment à perdre ! Il n'est peut-être pas trop tard !

Mr. Morris et lord Godalming s'élançaient, mais la voix calme du professeur les rappela :

– Attendez, mes amis ! Le comte a embarqué sa dernière caisse sur un bateau, et il quitte ce pays. Il compte nous échapper ; mais nous le poursuivrons !

Mina le regarda d'un air suppliant.

– Mais pourquoi le poursuivre encore, puisqu'il est loin de nous ? demanda-t-elle.

– Parce qu'il peut vivre des siècles, tandis que vous n'êtes qu'une mortelle. Le temps est notre ennemi, depuis que le comte a mis cette marque sur votre gorge.

Il eut juste le temps de la retenir dans ses bras ; elle s'affaissait, évanouie.

XXIV

Message de Van Helsing, enregistré par le Dr. Seward pour Jonathan Harker

« Il vous faut rester avec votre chère Mme Mina. Ne bougez pas et prenez soin d'elle aujourd'hui. Notre ennemi est parti ; il est retourné à son château, en Transylvanie. Il avait fait ses préparatifs et la dernière caisse de terre était prête pour être embarquée quelque part. C'est en vue de cela qu'il s'est pourvu d'argent. Il a trouvé un bateau qui pourrait le ramener : il l'a pris. Il nous faut découvrir ce bateau ; dès que ce sera fait, nous reviendrons vous le dire. Attendez donc courageusement jusqu'à notre retour.

« Van Helsing. »

Journal de Mina Harker

5 octobre, 5 h de l'après-midi – Relation de notre entretien. Présents : le professeur Van Helsing, lord Godalming, le Dr. Seward, Mr. Quincey Morris, Jonathan Harker, Mina Harker.

Le professeur Van Helsing expose comment ils ont découvert le bateau sur lequel le comte Dracula s'est embarqué pour fuir, et la destination de ce bateau.

– Quand j'ai compris qu'il se proposait de rentrer en Transylvanie, j'ai été sûr que ce serait par les bouches du Danube ou par quelque port de la mer Noire, puisqu'il était venu par là. Lord Godalming nous a conseillé d'aller au Lloyd, où est consigné chaque bateau partant, si petit qu'il soit. Nous y avons trouvé qu'un seul bateau était en partance pour la mer Noire avec la marée haute, le *Tsarine Catherine*, ancré au quai Doolittle à destination de Varna puis d'autres ports sur la remontée du Danube. Ainsi donc, madame Mina, notre ennemi est sur les flots, avec le brouillard à ses ordres, en route pour les bouches du Danube. Si vite qu'aille un navire, nous le rattraperons. Notre meilleure chance sera de tomber sur lui quand il sera dans son coffre, entre le lever et le coucher du soleil. Car, à ce moment, il ne peut se défendre, et il est à notre merci. Nous avons plusieurs jours devant nous pour mettre notre plan au point. Nous savons où il va; car nous avons vu l'armateur, qui nous a montré les factures et autres papiers. Le coffre doit être débarqué à Varna et remis à un agent, un certain Ristics.

Quand le Dr. Van Helsing eut terminé, je lui demandai encore s'il était vraiment nécessaire de donner la chasse au comte, car je redoutais de voir Jonathan me quitter, et je savais qu'il partirait certainement si les autres le faisaient. Il me répondit avec une conviction croissante:

– Oui, absolument nécessaire! Il vous a marquée de telle façon que la mort, qui est le lot commun de l'humanité, vous fera, au jour dit, semblable à lui. C'est cela qui ne doit pas être.

Après une discussion générale, on décida de ne rien arrêter ce soir, mais de dormir sur ces événements, et de nous efforcer de tirer au clair les conclusions nécessaires. Nous nous réunirons demain pour le petit déjeuner et, après avoir mis nos conclusions en commun, nous arrêterons un plan.

J'éprouve ce soir un repos, une merveilleuse paix. C'est comme si une présence obsédante s'était écartée de moi. Peut-être...

Mon espoir ne s'est pas accompli ; car j'ai vu dans la glace la marque rouge sur mon front et j'ai su que j'étais toujours impure.

Journal du Dr. Seward

5 octobre – Nous devons, dans une demi-heure, nous réunir dans mon bureau et arrêter notre plan d'action. J'y vois seulement une difficulté immédiate, qui m'est révélée par l'instinct plutôt que par la raison. Si mon instinct ne me trompe pas en ce qui concerne la pauvre Mrs. Harker, notre tâche nous réserve une terrible difficulté. Je n'ose penser plus avant, car ce serait dégrader une noble femme dans mes pensées.

Voici Van Helsing qui vient dans mon bureau avant les autres. Je vais essayer d'aborder ce sujet.

Plus tard – Nous avons commenté la situation. Il a dit :

– Mon cher John, Mme Mina, notre pauvre chère Mme Mina n'est plus la même.

Un frisson me parcourut à trouver une telle confirmation à mes pires terreurs. Il poursuivit :

– Je vois les caractéristiques du vampire apparaître sur son visage. C'est encore très, très peu de chose, mais visible cependant si nos yeux consentent à constater sans idée préconçue. Ses dents sont plus aiguës et son regard par moments est plus dur. Elle est trop souvent silencieuse ; il en était de même chez miss Lucy.

Plus tard – Dès le début de la réunion, Van Helsing résuma sommairement les faits :

– Le *Tsarine Catherine* a quitté la Tamise hier matin. À une vitesse maximum, il lui faudra trois semaines au moins pour atteindre Varna ; par terre, nous pouvons y être en trois jours. Maintenant, si nous accordons au navire un bénéfice de trois jours, grâce aux conditions atmosphériques que le comte peut procurer, il nous faut partir d'ici au plus tard le 17. Nous serons de la sorte à Varna au moins un jour avant l'arrivée du bateau. Bien entendu, nous serons tous armés contre tout mal, spirituel ou matériel. Au surplus, nous n'avons rien à faire ici, pourquoi ne pas y arriver plus tôt ? Le temps nous semblerait ici aussi long qu'il nous paraîtra là-bas. Cette soirée et la matinée de demain doivent suffire pour nos préparatifs ;

donc, si tout va bien, nous pourrons partir tous les quatre immédiatement.

– Tous les quatre ? répéta Harker d'un air interrogateur en nous regardant l'un après l'autre.

– Certes, répondit vivement le professeur. Vous devez rester prendre soin de votre femme.

Journal de Jonathan Harker

6 octobre, au matin – Mina m'a réveillé tôt, en me demandant d'aller chercher le Dr. Van Helsing. Il s'attendait évidemment à une visite, car je l'ai trouvé tout habillé dans sa chambre. Il vint aussitôt et, en entrant, demanda à Mina si les autres pouvaient nous rejoindre.

– Non, fit-elle très simplement, ce ne sera pas nécessaire. Vous pourrez leur faire le message. Je dois vous accompagner dans votre voyage.

Comme moi, il sursauta, puis demanda, après un silence :

– Mais pour quelle raison ?

– Je serai plus en sécurité avec vous, et vous également.

– Mais pourquoi, chère madame Mina ? Nous affrontons un danger auquel vous êtes plus exposée qu'aucun d'entre nous…

Il s'interrompit, embarrassé.

En répondant, elle désigna son front du doigt.

– Je sais. Et c'est pour cela que je dois partir Lorsque le comte me réclame, je dois obéir. Je sais que, s'il m'ordonne de venir secrètement, je le rejoindrai par artifice, par tout expédient capable de donner le change – même à Jonathan.

Elle tourna vers moi un regard de détresse. Je ne pus que saisir sa main, incapable de parler. Elle poursuivit :

– De plus, je pourrai vous servir, car en m'hypnotisant vous pourrez apprendre de moi ce que moi-même j'ignore.

Le Dr. Van Helsing dit gravement :

– Madame Mina, vous êtes, comme toujours, la sagesse même. Oui, vous nous accompagnerez et nous accomplirons cette œuvre ensemble. À présent, mettons nos affaires en ordre. Pour ce qui est de moi, mes dispositions sont prises et je n'ai rien d'autre à faire que d'organiser le voyage. Je vais prendre les billets et tout ce qui est nécessaire pour le départ.

Il n'y avait rien à ajouter, et nous nous séparâmes.

XXV

Journal du Dr. Seward

11 octobre, au soir – Jonathan Harker me prie d'enregistrer ce qui suit. Lui-même, me dit-il, ne suffit pas à la tâche, et il souhaite que tout soit exactement consigné.

Aucun de nous, je pense, ne fut surpris quand nous fûmes invités auprès de Mrs. Harker un peu avant le crépuscule. Elle paraissait quelque peu contrainte et donnait tous les signes d'une lutte intérieure. Quelques minutes, toutefois, lui suffirent pour reprendre un contrôle total sur elle-même. Prenant dans les siennes la main de Harker, elle commença :

– Nous sommes ici réunis, libres, et peut-être pour la dernière fois. Demain matin, nous partons accomplir notre entreprise, et Dieu seul sait ce qu'elle nous réserve. Mais souvenez-vous que je ne suis pas semblable à vous. Il y a du poison dans mon sang. Ah ! mes amis, vous savez que mon âme est en péril. Je sais, et vous aussi, que, si j'étais morte, vous voudriez libérer mon esprit immortel, comme vous l'avez fait pour ma pauvre Lucy. Eh bien ! je vais vous dire simplement ce que je veux de vous. Vous devez me promettre, chacun et tous, et même vous, mon mari bien-aimé, si l'heure vient, de me tuer.

– Quelle heure ?

Quincey avait parlé, mais d'une voix basse, étranglée.

– Celle où vous serez convaincus que le changement en moi est tel que la mort pour moi est devenue préférable à la vie. Lorsque je serai de la sorte, morte selon la chair, sans attendre une seconde, percez-moi d'un pieu et coupez-moi la tête ; ou faites tout ce qu'il faudra pour que j'accède au repos !

Quincey fut le premier à se lever après un silence. Il mit un genou en terre devant elle et, lui prenant la main, dit solennellement :

– Je vous jure par tout ce que j'ai de plus sacré que, si cette heure vient jamais, je ne broncherai pas devant le devoir que vous nous imposez.

– Je prends le même engagement, madame Mina, dit Van Helsing.

– Moi aussi, dit lord Godalming, chacun d'eux à son tour s'agenouillant pour prêter serment.

Et je fis de même.

Son mari enfin se tourna vers elle, le regard perdu et le visage couvert d'une pâleur verdâtre. Il demanda :

– Et moi aussi, dois-je faire cette promesse, ô ma femme ?

– Vous aussi, mon chéri, lui répondit-elle avec un immense élan de pitié dans la voix et les yeux.

Journal de Jonathan Harker

15 octobre, Varna – Nous avons quitté Charing Cross dans la matinée du 12, atteint Paris la même nuit et pris les places réservées pour nous dans l'Orient-Express. Voyageant nuit et jour, nous sommes arrivés ici vers cinq heures. Jusqu'à ce que le *Tsarine Catherine* entre au port, rien dans le vaste monde n'aura pour moi le moindre intérêt.

Nous avons dîné et nous sommes couchés tôt. Demain, nous devons voir le vice-consul et prendre nos dispositions pour monter à bord dès que le bateau arrivera. Notre chance serait, dit Van Helsing, que nous puissions le faire entre le lever et le coucher du soleil. Même sous la forme d'une chauve-souris, le comte ne peut traverser une eau courante par ses propres ressources. Il ne pourra donc quitter le navire.

17 octobre – Tout est fin prêt, je pense, pour saluer le comte à son retour de voyage. En racontant aux affréteurs que la caisse devait contenir des objets volés à un de ses amis, Godalming a obtenu une demi-autorisation de l'ouvrir à ses risques et périls. L'armateur lui a remis un papier prescrivant au capitaine de lui accorder toute facilité pour agir à sa guise sur le bateau. Nous avons pris nos mesures pour le cas où nous parviendrions à ouvrir la caisse. Si le comte s'y trouve, Van Helsing et Seward lui couperont la tête tout en lui enfonçant un pieu dans le cœur. Morris, Godalming et moi, nous préviendrons toute intervention, même s'il nous faut faire usage des armes dont nous serons pourvus.

Télégramme de Rufus Smith, Lloyd, Londres, pour lord Godalming, aux bons soins de H.M.B., vice-consul, Varna

« *24 octobre,* Tsarine Catherine *signalé ce matin aux Dardanelles.* »

Journal du Dr. Seward

24 octobre – Combien je regrette de n'avoir pas mon phonographe. Rien ne m'ennuie comme d'écrire mon journal à la plume, mais Van Helsing dit qu'il le faut. Nous avons eu un accès de folle agitation quand ce matin Godalming a reçu le télégramme du Lloyd. Il y a environ vingt-quatre heures de mer des Dardanelles jusqu'ici, à l'allure que le *Tsarine Catherine* a pratiquée depuis Londres. Le bateau devrait donc arriver demain matin.

25 octobre, midi – Aucune nouvelle de l'arrivée du bateau. Nous sommes dans la fièvre, à l'exception de Harker, qui reste calme. Ses mains sont d'un froid de glace et, tout à l'heure, je l'ai trouvé aiguisant le grand couteau qu'il ne quitte plus.

Van Helsing et moi, nous sommes aujourd'hui quelque peu inquiets au sujet de Mrs. Harker. Elle est tombée un peu avant midi dans une sorte de léthargie qui ne nous plaît pas.

27 octobre, midi – Étrange. Aucune nouvelle du navire attendu. Mrs. Harker, sous hypnose, a dit comme d'habitude : « Vagues clapotantes, coups d'eau », tout en ajoutant : « Les vagues sont très faibles. » Londres télégraphie invariablement : « *Rien à signaler.* » Van Helsing vient de me dire qu'il redoute à présent que le comte nous ait échappé.

Télégramme de Rufus Smith, Lloyd, Londres, à lord Godalming, aux soins de H.M.B., vice-consul, Varna

« *28 octobre,* Tsarine Catherine *signalé à l'entrée du port de Galatz aujourd'hui à une heure.* »

Journal du Dr. Seward

28 octobre – Quand nous parvint ce télégramme annonçant l'arrivée du navire à Galatz, le choc fut pour nous moins violent qu'on aurait pu le croire.

– Quand part le prochain train pour Galatz ? demanda Van Helsing à la cantonade.

– À six heures trente, demain matin.

– Il nous faut réfléchir et nous organiser. Ami Arthur, allez à la gare, prenez les billets. Ami Jonathan, allez au bureau maritime et obtenez de ce bureau des lettres pour son agent de Galatz, avec le droit de faire enquête sur le bateau, exactement comme nous l'avions ici à Varna. Quincey Morris, allez trouver le vice-consul et obtenez son appui auprès de son collègue de Galatz afin qu'il aplanisse notre route et que nous ne perdions pas de temps une fois que nous serons sur le Danube. John restera avec Mme Mina et moi.

Lorsque le trio fut parti accomplir sa mission, Van Helsing se leva.

– Il nous a laissés ici, à Varna, tandis que le bateau qui l'emportait fonçait vers Galatz où, n'en doutons pas, il avait tout préparé afin de nous échapper. Mais son cerveau d'enfant n'a pas vu au-delà. En effet, à présent qu'il se croit libéré de toute poursuite de notre part, son égoïsme va lui conseiller de prendre du repos. Nous, en revanche, nous poursuivrons ce monstre. Nous ne flancherons pas, même si nous sommes en danger de devenir semblables à lui.

XXVI

Journal du Dr. Seward

29 octobre – J'écris ceci dans le train entre Varna et Galatz. Hier soir, à l'heure habituelle, Mrs. Harker se prépara à son effort hypnotique ; Van Helsing mit plus de temps et eut plus de peine cette fois à la faire entrer en transe. Le professeur dut l'interroger, et de la façon la plus précise, avant d'apprendre quoi que ce fût.

La réponse vint enfin :

– Je ne distingue rien. Nous sommes immobiles. Il n'y a pas de clapotis, mais un remous continuel et doux de l'eau contre l'amarre. J'entends des voix d'hommes qui appellent, ainsi que le glissement, le grincement des rames sur les tolets. On tire quelque part un coup de feu ; l'écho semble venir de très loin. Des pas résonnent sur ma tête ; on traîne des cordes, des chaînes. Qu'est-ce donc ? Voilà un rayon de lumière. Je sens sur moi un souffle de vent.

Van Helsing dit :

– Mes amis, vous avez compris, il est près d'une côte. Il lui faut gagner le rivage. S'il n'arrive pas à gagner la terre cette nuit, un jour entier est perdu pour lui et nous pouvons alors arriver à temps.

Il n'y avait rien à ajouter. Nous attendîmes donc patiemment, jusqu'à l'aube, le moment où Mrs. Harker pourrait nous apprendre quelque chose.

À la pointe du jour, l'hypnose fut encore plus longue à s'établir que précédemment.

– Tout est obscur. J'entends le clapotis de l'eau et du bois qui craque sur du bois.

Elle n'en dit pas plus.

C'est ainsi que nous avançons vers Galatz dans une attente angoissée. Nous devons y arriver entre deux et trois heures du matin.

30 octobre, 7 h du matin – Nous approchons à présent de Galatz. Nous avons tous guetté ce matin l'arrivée de l'aube. Sachant qu'il lui est chaque jour plus difficile d'obtenir l'hypnose, Van Helsing commença ses passes plus tôt que d'habitude, sans résultat toutefois jusqu'au moment normal où elle céda avec une peine croissante, une minute avant l'apparition du soleil.

– Tout est noir. J'entends le remous de l'eau au niveau de mon oreille et du bois qui craque sur du bois. Plus bas, du bétail, loin. Il y a aussi un autre bruit, bizarre. On dirait…

Elle s'interrompit, très pâle.

– La suite, je vous l'ordonne ! s'écria Van Helsing d'une voix déchirante, car le soleil levant teintait de rouge jusqu'au visage de Mrs. Harker.

Elle ouvrit les yeux, et nous tressaillîmes quand elle dit d'un air extrêmement inquiet :

– Qu'ai-je dit ? Je ne sais rien, sinon que j'étais couchée là et que je vous entendais dire : « La suite, je vous l'ordonne ! » C'était si étrange de vous entendre me commander comme si j'étais un enfant coupable !

Journal de Mina Harker

Galatz, 30 octobre – Mr. Morris m'a emmenée à l'hôtel où nos chambres avaient été retenues par télégramme. Lord Godalming se rendit chez le vice-consul, son rang pouvant servir de garantie auprès d'un personnage officiel. Jonathan et les deux médecins s'en furent à l'agence maritime pour avoir quelque nouvelle au sujet du *Tsarine Catherine.*

Plus tard – Lord Godalming est de retour. Le vice-consul est malade. Les affaires courantes sont expédiées par un employé qui s'est montré très bien disposé, offrant de faire tout ce qui est en son pouvoir.

Journal de Jonathan Harker

30 octobre – À neuf heures, le Dr. Van Helsing, le Dr. Seward et moi-même sommes allés chez Mackenzie & Steinkoff, agents de la firme Hapgood de Londres. En réponse à une demande de lord Godalming, ils avaient reçu un télégramme de Londres les invitant à nous témoigner toute la déférence possible. Ils nous emmenèrent à bord du *Tsarine Catherine* qui était à l'ancre dans le port fluvial. Nous vîmes le capitaine, un nommé Donelson, qui nous raconta son voyage.

– Ce n'est pas prudent de naviguer de Londres à la mer Noire avec le vent en poupe, comme si le diable en personne vous soufflait dans les voiles pour ses fins personnelles ! Et avec ça, pas moyen de voir rien du tout. Un brouillard voyageait avec nous. Après le Bosphore, les hommes ont commencé à ronchonner. Les Roumains vinrent me trouver pour me demander d'envoyer par-dessus bord une grande caisse qui avait été chargée par un drôle de vieil homme, juste au moment où nous quittions Londres. Je les avais vus reluquer le gars et lever deux doigts à son approche, pour se garder du mauvais œil. Et, avant-hier, quand le soleil levant a percé le brouillard, nous nous sommes retrouvés sur le fleuve, juste en face de Galatz. Une heure avant le lever du soleil, un homme est venu à bord avec une procuration, envoyée d'Angleterre, pour recevoir une caisse adressée au comte Dracula. Ses papiers étaient en règle. J'étais content de me débarrasser de cette damnée chose, car je commençais moi-même à ne plus me sentir tranquille. Si le diable a embarqué du bagage dans mon bateau, c'est ça et rien d'autre !

– Comment s'appelle celui qui en a pris livraison ? demanda Van Helsing dominant son impatience.

– Je vous le dis tout de suite…

Descendant dans sa cabine, il en rapporta un reçu signé « *Emmanuel Hildesheim, Burgenstrasse, 16* ».

Nous ne pûmes rien tirer de plus du capitaine, et nous le quittâmes en le remerciant.

Nous avons trouvé Hildesheim à son bureau. Il nous dit ce qu'il savait. Il avait reçu une lettre de Mr. de Ville, de Londres, le priant de prendre réception, si possible avant le lever du soleil, afin d'éviter la douane, d'une caisse qui arriverait à Galatz sur le *Tsarine Catherine*; il devait la donner en charge à un certain Petrof Skinsky, qui était en relation avec des Slovaques, lesquels trafiquaient sur le fleuve et jusqu'au port. Il avait conduit Skinsky au bateau et lui avait remis la caisse. Il n'en savait pas plus.

Nous voilà en quête de Skinsky, mais sans parvenir à le trouver. Un de ses voisins, qui ne semble pas le porter dans son cœur, déclare qu'il est parti avant-hier, mais on ne sait où. Nous nous retrouvons à un point mort.

Tandis que nous bavardons, arrive en courant, hors d'haleine, quelqu'un qui crie que le corps de Skinsky a été découvert à l'intérieur du cimetière de Saint-Pierre, la gorge ouverte comme par un animal sauvage.

Journal de Mina Harker

30 octobre, au soir – À ma demande, le Dr. Van Helsing m'a remis toutes les notes dont je n'avais pas encore pris connaissance. J'essaierai de réfléchir sur les faits qui sont devant moi, sans aucun préjugé.

Je crois, avec l'aide de Dieu, avoir fait une découverte. Il me faut des cartes que j'examinerai soigneusement... Oui, je suis de plus en plus sûre que je ne me trompe pas. Je vais réunir mes amis, ils en jugeront.

Aide-mémoire de Mina Harker inséré dans son journal

Voici ma conjecture. Le comte décida, à Londres, de rentrer dans son château par eau, cette voie étant la plus sûre et la plus secrète. Les Tziganes l'en avaient fait sortir et l'avaient probablement donné en charge à des Slovaques qui avaient apporté les caisses à Varna, d'où elles avaient été embarquées pour Londres. Le comte connaissait ainsi les personnes capables de lui organiser ce service. Lorsque le coffre fut à terre, il en sortit avant le lever ou après le coucher du soleil et donna ses instructions à Skinsky pour que le chargement fût assuré d'une rivière à l'autre. Cela fait, et sûr que tout allait bien, il crut effacer ses traces en assassinant son agent.

Après avoir examiné la carte, je conclus que la rivière la plus commode à remonter pour les Slovaques est ou bien le Pruth ou bien le Sereth. De ces deux rivières toutefois, c'est sur le Pruth que la navigation est la plus aisée, mais le Sereth, à Fundu, reçoit la Bistritza, qui coule autour du col de Borgo. La boucle qu'elle y fait est le point le plus rapproché du château de Dracula que l'on puisse atteindre par eau.

Journal de Mina Harker (suite)

Quand j'eus fini de lire, le Dr. Van Helsing déclara :

– Une fois de plus, notre chère Mme Mina s'avère notre guide. Vous, lord Godalming et l'ami Jonathan, vous remonterez la rivière sur une vedette rapide, tandis que John et Quincey surveilleront la rive en cas de débarquement ; moi, pendant ce temps, j'emmènerai Mme Mina au cœur même du pays ennemi. Pendant que le vieux renard est lié dans sa caisse flottant au gré du courant d'où il ne peut atteindre la terre, nous allons suivre la route que suivit Jonathan, de Bistritz à Borgo, jusqu'au château de Dracula. Le pouvoir hypnotique de Mme Mina nous viendra sûrement en aide et nous trouverons notre chemin. Il y a gros à faire et d'autres lieux à purifier, afin que ce nid de vipères soit effacé du monde…

Plus tard – Quel réconfort de voir au travail ces hommes courageux ! Il me faut admirer aussi le pouvoir de l'argent. Je suis si reconnaissante à lord Godalming d'être riche, et à lui et à Mr. Morris, qui aussi a tant d'argent, de le dépenser avec une telle largesse. Il n'y a pas trois heures que les rôles ont été répartis entre nous, et voici que lord Godalming et Jonathan ont une jolie vedette à vapeur, prête à démarrer au premier signal. Le Dr. Seward et Mr. Morris ont une demi-douzaine de beaux chevaux, bien harnachés. Nous sommes pourvus de toutes les cartes, de tous les instruments nécessaires. Le professeur Van Helsing et moi partons cette nuit à onze heures quarante pour Veresti où nous nous procurerons une voiture pour gagner le col de Borgo. Nous emportons beaucoup d'argent liquide puisque nous devons acheter une voiture et des chevaux. Nous conduirons nous-mêmes, n'ayant personne à qui nous confier dans cette affaire.

Plus tard – Il m'a fallu tout mon courage pour dire adieu à mon bien-aimé. Nous ne sommes pas sûrs de jamais nous revoir.

Journal de Jonathan Harker

30 octobre, pendant la nuit – J'écris ceci à la lumière que laisse passer la porte de la chaudière de la vedette. Lord Godalming active la chauffe. Il connaît la manœuvre pour avoir eu pendant des années une vedette à lui sur la Tamise et une autre sur les lacs du Norfolk. Nous avons adopté la conjecture de Mina : si c'est une voie navigable qui doit ramener le comte à son château, la seule possible est le Sereth, puis la Bistritza à partir de son confluent. Mr. Morris et le Dr. Seward sont partis avant nous pour leur longue chevauchée. Ils suivront la rive droite en remontant vers l'intérieur du pays. Ils ont deux cavaliers qui conduisent leurs chevaux de rechange, quatre en tout pour les premières étapes, afin de ne pas attirer l'attention. Lorsqu'ils renverront ces hommes, et ce sera bientôt, ils s'occuperont eux-mêmes des chevaux.

Terrible aventure que la nôtre ! Nous fonçons vers un univers de choses épouvantables.

Journal du Dr. Seward

3 novembre – On nous dit à Fundu que la vedette a pris la Bistritza. Si seulement il pouvait faire moins froid ! De la neige semble s'annoncer et, si elle tombe dru, elle nous arrêtera. Dans ce cas, nous nous procurerons un traîneau et nous progresserons à la mode russe.

XXVII

Journal de Mina Harker

1er novembre – Nous avançons rapidement. Le professeur semble infatigable ; il n'a pris aucun repos de la journée entière, bien qu'il m'ait fait dormir assez longtemps. Au coucher du soleil, il m'hypnotisa et je lui répondis, paraît-il, comme à l'ordinaire : « Obscurité, clapotis de l'eau, craquements de planches. » C'est donc que notre ennemi est toujours sur l'eau.

2 novembre, au matin – À l'aube, Van Helsing m'a hypnotisée ; je lui répondis, dit-il : « Obscurité, craquements de planches et grondements d'eau. » C'est donc que la rivière change d'aspect à mesure qu'ils en remontent le cours.

2 novembre, au soir – Avancé sans répit. Le paysage s'élargit ; les grands contreforts des Carpates font mine de se rassembler autour de nous et de nous barrer la route. Le Dr. Van Helsing dit que nous atteindrons le col de Borgo au lever du soleil. Il y a peu de chevaux dans cette contrée et le professeur est d'avis que les derniers que nous avons acquis devront nous accompagner jusqu'au bout, car nous ne pourrons pas nous en procurer d'autres. Il en a pris deux en supplément, si bien que maintenant nous allons à grandes guides.

Mémorandum d'Abraham Van Helsing

4 novembre – Ceci est destiné à mon vieux, à mon fidèle ami John Seward, docteur en médecine de Purfleet, Londres, pour le cas où je ne le reverrais plus. Le matin est là ; j'écris près du feu que j'ai entretenu pendant toute la nuit avec l'aide de Mme Mina. Pendant toute la journée d'hier, elle était toute différente d'elle-même. Quelque chose me murmure à l'oreille que tout n'est pas en ordre. Hier soir, j'ai tenté de l'hypnotiser, mais hélas ! sans résultat.

J'allumai un feu, car nous avons avec nous une provision de bois ; elle prépara un repas tandis que je dételais les chevaux. Quand je revins vers le feu, notre dîner était prêt. Je voulus la servir, mais elle me dit en souriant qu'elle avait déjà mangé : elle avait si faim qu'elle n'avait pu m'attendre. Je n'aimais pas cela, et de grands doutes me vinrent, dont je préférai ne rien dire de peur de l'alarmer. C'est elle qui me servit, et je dînai seul, après quoi nous nous enveloppâmes dans les fourrures pour nous étendre près du feu, et je l'invitai à dormir tandis que je veillerais. Mme Mina dort toujours et, dans son sommeil, elle paraît mieux portante, et elle a le teint plus coloré qu'auparavant. Cela ne me dit rien de bon. J'ai peur, j'ai peur, j'ai peur. J'ai peur de tout, même de penser. Mais il me faut aller jusqu'au bout. La partie que nous jouons a la vie ou la mort pour enjeu, et peut-être davantage. Nous ne pouvons reculer.

5 novembre, au matin – Il faut que je raconte chaque détail avec exactitude ! Nous avons voyagé toute la journée d'hier, nous rapprochant des montagnes à travers un pays de plus en plus sauvage et désert. Mme Mina ne cessa de dormir. Alors me vint la crainte que le charme fatal de l'endroit ne pesât sur elle, souillée comme elle l'est par ce baptême du vampire. « Bien, me dis-je, s'il faut qu'elle dorme tout le jour, il faudra bien aussi que je me prive de sommeil pendant toute la nuit. » Comme nous avancions sur une mauvaise route, malgré moi je penchai la tête en avant et m'endormis. Quand je me réveillai, ce fut pour trouver Mme Mina toujours endormie et le soleil très bas. Nous étions près du sommet d'une colline escarpée, surmontée d'un château semblable à celui dont Jonathan parle dans son journal. La joie et l'angoisse me saisirent en même temps, car maintenant, pour le meilleur et pour le pire, le dénouement est proche. Alors, avant que la grande obscurité ne tombât sur nous, je dételai les chevaux et leur donnai à manger. Puis, j'allumai un feu, à côté duquel j'installai Mme Mina, bien réveillée à présent et plus charmante que jamais, confortablement assise parmi les couvertures. Alors, rempli de terreur à la pensée de ce qui pouvait arriver, je traçai un cercle, assez vaste pour qu'elle y fût à l'aise, autour du point où Mme Mina était assise et, sur le cercle, je répandis une hostie en la brisant en fines parcelles de façon que tout fût bien protégé. Au moment le plus froid, le feu commença de mourir, et je m'apprêtai à le ranimer, car la neige tombait à grands coups dans un brouillard glacé. Malgré l'obscurité, on y voyait un peu, comme c'est toujours le cas lorsqu'il y a de la neige. Les rafales de flocons et les tourbillons de brume prenaient la forme, semblait-il, de femmes aux vêtements traînants. Les chevaux gémissaient. Je craignais pour ma chère Mme Mina, lorsque ces figures étranges se mirent à tourner plus près de nous. Puis elles commencèrent à se matérialiser – si Dieu ne m'a pas privé de ma raison, car je les voyais de mes yeux – jusqu'à ce que fussent devant moi, en chair et en os, ces trois femmes que Jonathan vit dans la chambre quand elles s'apprêtèrent à lui baiser la gorge. Elles souriaient à la pauvre Mme Mina ; leur rire venait à nous à travers le silence de la nuit ; elles s'enlacèrent et la désignèrent en disant :

– Viens avec nous, notre sœur, viens, viens !

Épouvanté, je me tournai vers Mme Mina, mais de joie mon cœur bondit comme le feu. Car la terreur de son doux regard, sa répulsion, son horreur, racontaient une histoire qui me remplit le cœur d'espérance. Dieu soit loué : elle n'était pas une des leurs ! Nous restâmes ainsi jusqu'à ce que la rougeur de l'aurore commençât de percer la tristesse de la neige. J'étais navré, effrayé, accablé de douleur et d'angoisse. Mais la vie me revint à mesure que le soleil se mit à monter sur l'horizon. Dès son lever, les horribles fantômes s'évanouirent dans les tourbillons de la neige et du brouillard. Les ombres ondoyantes, transparentes, se déplacèrent dans la direction du château et s'y perdirent.

Le moment de me mettre en route me fait peur. J'ai entretenu le feu. J'ai vu les chevaux : tous sont morts. Ma journée sera chargée. J'attendrai jusqu'à ce que le soleil soit déjà haut ; car, là où je dois aller, il y aura peut-être des endroits où le soleil me sera une sûreté.

5 novembre, après-midi – Du moins suis-je sauf, et j'en remercie Dieu, bien que l'épreuve ait été terrible.

Laissant Mme Mina endormie à l'intérieur du cercle sacré, je m'acheminai vers le château. J'avais pris à Veresti un marteau de forgeron et l'avais mis dans la voiture. Il me vint à point. Toutes les portes étaient ouvertes, mais je les arrachai à leurs gonds rouillés, de peur que quelque malintentionné ou quelque accident fâcheux les refermât et m'empêchât de ressortir. Je savais que j'avais au moins trois sépulcres à découvrir – trois sépulcres habités. Et je me mis en devoir de chercher, de chercher, tant que j'en découvre un…

Elle était étendue dans son sommeil de vampire, si pleine de vie et de voluptueuse beauté que je frissonnais comme si je venais perpétrer un crime.

Oui ! c'est bien une sorte de fascination qu'a exercée sur moi la vue de cette femme, étendue là dans une tombe usée par le temps et lourde de la poussière des siècles, et malgré cette horrible odeur qui doit être celle des repaires du comte.

Je rassemblai mes forces pour en finir avec l'horrible tâche et, en descellant des pierres tombales, je découvris une autre des trois sœurs, celle qui avait aussi les cheveux sombres. Je poursuivis ma recherche jusqu'à ce que j'eusse trouvé sous une tombe large, destinée, semblait-il, à un être très aimé, cette autre sœur blonde que moi aussi, après Jonathan, j'avais vue se dégager du brouillard. Bientôt, j'eus exploré toutes les tombes de la chapelle, me semblait-il, et comme nous n'avions vu autour de nous, dans la nuit, que trois fantômes de non-morts, je supposai qu'il n'en subsistait pas davantage. Mais il restait un grand sépulcre plus seigneurial que tous les autres, immense, et de nobles proportions, portant un seul nom:

DRACULA.

C'était donc là que le roi-vampire abritait sa non-mort. Le fait qu'elle était vide confirmait ce que je savais déjà.

Avant de commencer à rendre ces femmes à leur moi trépassé, je déposai dans le tombeau de Dracula des parcelles de la Sainte Hostie, et ainsi l'en chassai, non-mort, pour toujours.

Alors devait commencer ce rôle effrayant devant lequel je reculais. N'eussé-je eu qu'un seul coup à frapper, c'eût été relativement aisé. Mais trois! Si je ne m'étais pas raidi par la pensée d'une autre mort et d'une vie prise dans un tel étau d'épouvante, jamais je n'aurais pu aller jusqu'au bout, jamais je n'aurais pu poursuivre cette boucherie. Je n'aurais pu endurer l'horrible crissement du pieu quand il pénétrait dans les chairs, ni le sursaut de la beauté torturée, les lèvres couvertes d'une écume sanglante. J'aurais fui épouvanté, laissant l'œuvre inachevée. Mais elle est finie! Ces pauvres âmes, je puis maintenant les plaindre et pleurer, en pensant à chacune d'elles, telle que je l'ai vue, pacifiée dans le plein sommeil de la mort, une seconde avant de disparaître. Oui, cher John, il en fut ainsi au moment même où mon couteau eut coupé chaque tête, avant que le corps commençât à se réduire pour retourner à sa poussière originelle, comme si la mort ajournée depuis des siècles avait enfin affirmé ses droits en disant hautement: «Me voici.»

Avant de quitter le château, j'en assurai les issues de façon que le comte n'y puisse plus jamais rentrer, non-mort.

Peu après que je fus revenu dans le cercle où dormait Mme Mina, elle se réveilla et s'écria en me voyant:

– Venez, quittons cet affreux endroit. Allons rejoindre mon mari qui, je le sais, se dirige vers nous.

Journal de Mina Harker

6 novembre – L'après-midi était avancé quand le professeur et moi nous partîmes vers l'est, d'où je savais que Jonathan venait vers nous. Nous n'allions pas vite, quoique le chemin descendît rapidement la colline, car nous devions emporter de lourdes couvertures, n'osant pas envisager de rester sans protection dans le froid et la neige. Nous entendions le lointain hurlement des loups. À voir le Dr. Van Helsing se mettre en quête, je pouvais comprendre qu'il cherchait un point stratégique où une attaque nous trouverait moins exposés.

Au bout d'un instant, le professeur me fit signe et j'allai le rejoindre. Il avait trouvé une sorte d'excavation dans le roc, avec une entrée semblable à un vestibule. Il me prit la main et m'y fit pénétrer.

– Voyez, dit-il, ici vous serez en sûreté ; et si les loups viennent, je pourrai les affronter un à un.

Soudain, il s'écria :

– Regardez, madame Mina ! Regardez !

La neige à présent tombait plus épaisse et tourbillonnait avec violence, car le vent s'élevait. Dans le lointain, au-delà de la longue plaine neigeuse, je pouvais distinguer la rivière déroulant comme un ruban les courbes et méandres de son cours. En face de nous et pas bien loin venait un groupe d'hommes montés qui allaient bon train. Au milieu du groupe avançait un chariot. Sur le chariot se trouvait un grand coffre rectangulaire. Mon cœur bondit en le voyant, car je sentais approcher le dénouement. Bientôt le jour allait tomber, et je savais trop bien que, dès le coucher du soleil, la Chose qui en ce moment y était enfermée retrouverait sa liberté et sous une forme quelconque échapperait à toute poursuite.

Une nouvelle rafale effaça tout le paysage, mais fut de courte durée. Alors vint un cri soudain :

– Regardez ! Regardez là-bas ! Deux cavaliers suivent à toute vitesse, venant du midi. Ce sont sûrement Quincey et John.

Je regardai. Ces deux hommes, en effet, pouvaient être le Dr. Seward et Mr. Morris. Un peu plus au nord de l'endroit où se trouvaient les deux cavaliers, j'aperçus alors deux autres hommes qui galopaient à bride abattue. Aussitôt, je reconnus Jonathan et je supposai naturellement que l'autre était lord Godalming. Eux aussi avaient pris en chasse le char et son escorte. Lorsque je le dis au professeur, il lança un « hourra » digne d'un écolier et, après avoir regardé attentivement jusqu'à ce qu'une rafale bouchât la vue, il posa son fusil Winchester, prêt à servir, à l'entrée de notre abri.

– Ils convergent tous vers le même point, dit-il. Le moment venu, nous aurons les Bohémiens tout autour de nous.

Je préparai mon revolver, car, tandis que nous parlions, le hurlement des loups s'était rapproché et accru. Le vent avait redoublé, venant plus constamment du nord. Nous distinguions maintenant nettement les membres de chaque groupe, poursuivis et poursuivants. Les premiers semblaient ne pas s'apercevoir qu'on leur donnait la chasse, ou du moins ne s'en point soucier ; et cependant, ils forçaient l'allure tandis que le soleil descendait vers les crêtes.

Tandis qu'ils se rapprochaient, le professeur et moi nous tenions blottis derrière notre rocher, nos armes prêtes. Van Helsing était visiblement décidé à ne pas les laisser passer. Aucun d'eux ne semblait soupçonner notre présence.

Deux voix brusquement crièrent : « Halte ! » L'une était celle de mon Jonathan, rendue aiguë par l'émotion. L'autre, celle de Mr. Morris, avait lancé cet ordre avec une calme résolution. Même sans comprendre les paroles, les Bohémiens ne pouvaient se méprendre sur le ton, en quelque langue que ce fût. Ils retinrent instinctivement leurs chevaux, et aussitôt lord Godalming et Jonathan furent sur eux d'un côté, le Dr. Seward et Mr. Morris de l'autre. Au même moment, le Dr. Van Helsing et moi, nous sortîmes de derrière le rocher, nos armes dirigées vers eux. Se voyant encerclés, ils serrèrent les brides et s'arrêtèrent. Leur chef leur dit un mot, sur quoi chacun prit son arme, couteau ou pistolet, et se tint prêt à l'attaque. Le tout se dénoua en quelques minutes.

Chacun de nos quatre alliés sauta de son cheval et s'élança vers le chariot. La vue de Jonathan dans un tel danger aurait dû me faire trembler, mais l'ardeur de la bataille me possédait aussi bien que les autres. Je n'éprouvais aucune crainte, seulement un désir sauvage, passionné, d'agir. Devant nos mouvements rapides, le chef des Bohémiens donna un nouvel ordre. Ils se groupèrent aussitôt autour du char en une sorte d'entreprise désordonnée, se bousculant dans leur ardeur à exécuter son ordre.

Au milieu de cette mêlée, je voyais Jonathan d'un

côté, Quincey de l'autre, se frayer un chemin vers le char. Rien ne semblait capable de les arrêter ni même de les gêner. L'impétuosité de Jonathan, et sa volonté visiblement irréductible, parurent intimider ceux qui lui tenaient tête ; ils cédèrent instinctivement et lui livrèrent passage. Une seconde lui suffit pour bondir sur le char, pour saisir avec une vigueur incroyable le grand coffre et le lancer par-dessus bord sur le sol. En même temps, Mr. Morris avait forcé le passage de son côté. Je crus d'abord que lui aussi était en sûreté. Mais lorsqu'il s'élança vers Jonathan, qui avait sauté du char, je vis sa main gauche se crisper sur son flanc et le sang jaillir entre ses doigts. Malgré cela, il continua, et lorsque Jonathan, avec l'énergie du désespoir, attaqua un côté du coffre pour en déclouer le couvercle avec son grand couteau, il s'en prit rageusement à l'autre avec son coutelas. Sous l'effort des deux hommes, le couvercle céda ; les clous s'arrachèrent avec un brusque gémissement, et ce qui fermait le coffre fut lancé à terre.

Se voyant menacés par les fusils, et à la merci de lord Godalming et du Dr. Seward, les Bohémiens avaient renoncé à toute résistance. Je vis le comte étendu dans le coffre, sur le sol ; des parcelles de bois avaient volé sur le corps lorsque la caisse avait été lancée à bas du char. Le comte était mortellement pâle, semblable à une image de cire. Ses yeux rouges avaient l'affreux regard que je ne connaissais que trop bien.

Comme je le regardais, ses yeux aperçurent le soleil

déclinant et son regard haineux eut une lueur de triomphe. Mais, à la seconde même, surgit l'éclat du grand couteau de Jonathan. Je jetai un cri en le voyant trancher la gorge. Et, au même moment, le coutelas de Mr. Morris pénétra en plein cœur.

Ce fut comme un miracle : oui, devant nos yeux et dans le temps d'un soupir, le corps tout entier se réduisit en poussière et disparut. Pour la joie de ma vie entière, au moment de la dissolution suprême, une expression de paix se répandit sur ce visage où jamais je n'aurais cru que pût apparaître rien de tel.

Mr. Morris était tombé sur le sol, appuyé sur un coude, serrant de la main son flanc d'où le sang jaillissait toujours entre ses doigts. Je courus à lui. Les deux médecins firent de même. Jonathan s'agenouilla derrière lui, et le blessé laissa tomber sa tête sur son épaule.

– Oh ! Dieu ! s'écria-t-il tout à coup en se redressant pour me désigner. Ceci vaut bien que je meure ! Voyez, la neige n'est pas plus pure que son front. La malédiction est effacée.

Et, à notre immense chagrin, il mourut : toujours souriant, en parfait gentleman.

Note

Voilà sept ans que nous avons passé à travers les flammes, et nous sommes quelques-uns à jouir d'un bonheur qui, pensons-nous, vaut les souffrances qu'il a coûtées.

Notre fils est né au jour anniversaire de la mort de Quincey Morris, joie de plus pour Mina et moi. Elle garde, je le sais, la secrète conviction que quelque chose de l'esprit de notre héroïque ami a passé en notre enfant. Nous lui avons donné les noms de tous ceux de notre petit groupe, mais c'est Quincey que nous l'appelons.

Van Helsing a tout résumé en disant :

– Ce garçon saura un jour quelle femme courageuse est sa mère. Déjà il connaît quelles sont sa douceur et son amour. Il comprendra plus tard que quelques hommes l'ont aimée et, pour son salut, ont beaucoup osé.

Jonathan Harker.

REPÈRES CHRONOLOGIQUES

1847

8 novembre : naissance près de Dublin d'Abraham Stoker, le troisième d'une famille de sept enfants. Ses parents sont des protestants de la classe moyenne. La mère, l'écrivain Charlotte Thornley, se consacre essentiellement aux bonnes œuvres de la ville. Le père destine son fils à devenir fonctionnaire, comme lui. De santé fragile, Bram reste alité jusqu'à l'âge de huit ans, une longue période pendant laquelle sa mère lui raconte pour le distraire de vieilles légendes irlandaises.

1864

Novembre : Stoker a dix-sept ans et entre au Trinity College de Dublin. Guéri, il est devenu un adolescent robuste que ses condisciples surnomment le « géant à barbe rousse ». Passionné de sport et de littérature, avec une prédilection pour la poésie de Walt Whitman, il sortira néanmoins diplômé de l'université avec une mention en mathématiques et, suivant les vœux paternels, s'engagera dans l'administration.

1875

Parallèlement à son emploi, il s'essaie à la création littéraire et publie, à vingt-huit ans, un premier roman qui témoigne déjà de son goût pour l'étrange : *The Chain Of Destiny*.

Sa chronique théâtrale dans le *Dublin Evening Mail* va lui permettre de rencontrer le grand acteur shakespearien de l'époque, Henry Irving : l'année suivante, Stoker quittera son métier de fonctionnaire pour devenir le secrétaire d'Irving.

1878

Irving prend la direction du Lyceum Theatre de Londres et en confie l'administration à Stoker. Peu avant son départ pour Londres, celui-ci épouse Florence Balcombe, une comédienne de dix-neuf ans rencontrée dans l'entourage d'Irving.

1879

Naissance de son fils, Noël. À Londres, Stoker fréquente la belle société. C'est dans les salons du théâtre qu'il se familiarise avec la « Compagnie des Beefsteaks », des passionnés de surnaturel, parmi lesquels le Dr. Arminius Vambery, professeur de langues orientales à l'université de Budapest. Ce dernier connaît fort bien le folklore d'Europe centrale, et en particulier l'histoire de Vlad Tepes (Vlad l'empaleur), surnommé Drakul (fils de dragon), un chevalier du XVe siècle célèbre pour sa cruauté.

1882

Pendant ses rares loisirs, Stoker écrit des contes pour enfants comme *Under the Sunset* (*Au-delà du crépuscule*), un recueil de nouvelles dédié à son fils.

1887

Création de la « Golden Dawn », une société secrète versée dans l'occultisme, très en vogue chez les personnalités anglaises de l'époque et dont Stoker aurait été membre.

1890

Il entame la rédaction de Dracula. Perfectionniste et soucieux d'authenticité, il passe des journées entières à se documenter à la bibliothèque du British Museum.

1891-1895

Publication de *The Snake's Pass*, *Shoulder of Shasta*, *The Watter's Mou*.

1897

26 mai: publication de *Dracula* que son auteur adapte immédiatement pour le théâtre. Ses pairs reconnaissent en Stoker un maître du fantastique et il entre dans le « Cercle des génies de l'étrange ».

1898

Le Lyceum Theatre est dévasté par un incendie qui entraîne de graves problèmes financiers: les rapports entre Stoker et Irving s'assombrissent. Stoker se consacre davantage à l'écriture.

1902-1905

Parution de *The Mystery of the Sea, The Jewel Of Seven Stars, The Man*. En 1905, mort d'Henry Irving. Stoker entreprend d'écrire sa biographie: *Personal Reminiscence of Henry Irving*.

1912

20 avril: mort de Bram Stoker, à Londres, à l'âge de soixante-cinq ans. Le certificat de décès indique qu'il serait mort d'épuisement.

TABLE